KB065661

개발과 원조의 정치경제

: 저개발의 원인과 국제사회의 대응

개발과 원조의 정치경제

저개발의 원인과 국제사회의 대응

김동훈 지음

정치연구총서 10

● REC

00:00:00

버니온더문

HD

산업화 이후 경제성장과 개발은 일종의 세속적 종교가 된 듯하다. 선진국 시민에게는 생활 수준(living standard)과 삶의 질(quality of life)이 지속해서 향상될 것인가에 대한 관심이고, 빈곤한 저개발국가의 시민들에게는 힘든 현실에서 벗어나기 위한 당면과제다. 역사적으로 흥미로운 사실은 대략 1800년 이전과 이후 변화한 상황이다. 다음 그림처럼 우리의 세상은 약 1800년 이후 폭발적인 경제성장을 경험했다. 인류가 등장한 이래 약 10만 년 동안 큰 변화가 없었지만, 지난 200년 전부터 엄청난 변화를 경험했다.

홉스(Thomas Hobbes)는 17세기 이전의 사람들의 삶을 "거칠었으며 잔인했고 짧았다(Nasty, Brutish, and Short)"라고 표현했다. 이후세계가 경험한 경제성장은 일반 사람들의 삶의 질을 급격하게 향상했을 것처럼 보이지만, 문제는 모든 사람의 삶이 좋아지지 못했다. 다시 홉스의 표현을 빌리자면, 17세기 이후 일부 사람들의 삶은 "더 거칠었으며 더 잔인했으며 더 짧았다(nastier, more brutish, and

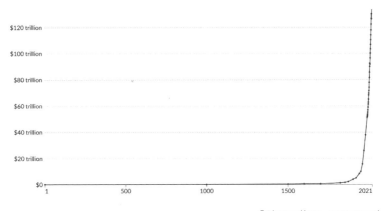

세계 총생산 (Global GDP)

출처: https://data.worldbank.org/

shorter)." 급격한 변화 속에서 수많은 사람은 엄청난 조정과 적응을 해야만 했고, 이러한 일상의 변화는 국내적 불평등, 국제적 불평등의 심화로 나타났다. 이 책에서 소개하는 개발(development)의 문제는 경제성장에 대한 것이 아닌, 바로 경제성장의 혜택을 받지 못한 개인과 국가에 대한 것이다.

1차산업혁명이 '혁명적'이었던 이유는 무엇보다도 생산성 향상으로 인구증가가 더는 생활 수준의 하락을 의미하지 않게 되었기 때문이다. 지금도 국가를 가난하게 만드는 이유는 다양하지만, 오직 생산성 향상만이 부자 국가를 만든다는 격언이 유행하는 이유다. 그러나 문제는 홉스가 지적했듯이 세계는 혁신적 기술의 등장에 따라 멜더스(Malthus)의 저주에서 벗어났지만, 혁신적 기술의 혜택을 모두가 누리지는 못했다는 것이다. 개인적 수준에서는 새로운 기술에 적응하지 못해 가난의 덫에 빠졌고, 국가는 혁신적 기술을 적용하고 확대하지 못해 뒤처져 지금까지 그 격차는 좁혀지지 않고 있다. 17세기 이후의 역사적 경험은 성장과 개발에 있어 혁신적인 지식과 기술의 등장을 촉진하고 확산하게 하는 정치적 환경의 중요성을 시사할 뿐만 아니라, 성장의 혜택이 대다수 사람에게 돌아가게 하는 정치적 제도의 중요성을 강조하고 있다. 이러한 의미에서 이 책 또한 개발의 정치적 기반을 소개하는 데에 그 초점이 있다.

이 책의 목적은 20세기에 진행된 국제적 수준의 불평등과 이에 대한 국제사회의 대응을 살펴봄으로써 현재 진행되고 있는 급격한 변화에 대해 우리는 어떻게 대응해야 할 지를 모색하는 데 있다. 최근 우리 사회를 급습한 인공지능과 자동화라는 4차 기술발전으로 인한 지금의 상황이 19세기의 상황과 유사하다는 점에서, 현재 우리는 어떤 생각을 하고 무엇을 해야 하고 해야 하는지에 대해 심각한 논쟁과 고민이 필요하다. 이 책의 내용이 그러한 고민에 작은 도움이 되길 바란다.

이 책의 1장에서는 개발에 대한 일반적 소개와 더불어 우리는 왜 저개발국가에 관한 관심을 가져야 하는지에 대한 논쟁을 소개한다. 2장에서는 정치적 측면에서 왜 가난한 나라는 가난한지에 대한 이유를 소개한다. 3장은 저개발국가에 대한 선진국의 국제개발협력과 공적개발원조에 대한 분석을 소개한다. 2장에서 논의되고 있는 민주주의와 다양성에 대한 소개는 필자가 쓴 논문("민주

개발과 원조의 정치경제

주의 문제해결능력에 대한 한국인의 인식", 『민주주의와 인권』 제24권 1호)에서 주요 내용을 가져왔다. 3장의 정부당파성에 관한 논의와 국제개발 협력에 대한 한국인의 인식에서는 박연수와 윤준영과의 공동연구 의 결과를 일부 소개했다(김동훈·박연수 2016; 김동훈·윤준영 2019). 그리고 이 책은 2017년 한국연구재단의 지원을 받아 수행된 연구 (NRF-2017S1A3A2066657)다. 마지막으로 이 책의 대부분은 필자가 강의하는 〈개발과 원조의 정치경제〉 수업에서 학생들과 논의하는 과정에서 나온 것이다. 흥미로운 질문과 다양한 견해를 제시한 학생들에게 감사를 전한다.

2024년 2월
김동훈

CONTENTS

3장
국제사회의 대응: 왜 무엇을 어떻게 하고 있는가?

정치연구총서 10

1장
왜 개발(Development)인가?

개발의
의미

근대적 의미에서 '개발(development)'이라는 개념은 20세기 초반 모든 국가를 일반적인 척도로 평가할 것이 있다는 가정 아래 사용되기 시작했다. 대표적인 예로 미국의 트루먼 대통령이 취임식에서 저개발국가에 대한 원조계획을 발표하면서 저개발국가(under-developed)의 '개발'을 산업화의 과정으로 인식하며 저개발국가를 위해 미국의 과학 및 산업화의 결실을 나누겠다는 점을 강조했다. 저개발국가를 표현하는 용어 또한 역사적으로 변화해왔는데, 가령 19세기에 사용되던 '후진사회(backward society)'라는 용어는 최근에는 폄하하는 표현으로 인식되어 사용되지 않고 있다. 또한 제3세계(the thrid world)라는 용어도 종종 사용되었는데, 이는 냉전(cold war)의 산물로서 프랑스혁명 이전 사용되던 제3계급

개발과 원조의 정치경제

(third estate)이라는 용어를 차용한 것으로, 미국과 소련의 진영에 포함되지 않은 국가들이 대부분 빈곤했기 때문에 사용되었다. 용어의 의미는 모호하지만 가치편향적이지도 않고 어떤 규범적 의미가 없었기에 사용되었던 용어다. 탈냉전의 시대에는 적합하지 않은 용어가 되어 사용되지 않고 있다. 최근에는 저개발국가들을 표현하는 용어로서 '글로벌 사우스(global south)'가 많이 사용되고 있다. 대부분의 빈곤한 국가가 적도 아래에 있다는 점에서 사용되는 용어로서, 지리적 개념이기에 단순하고 획일적이나 가치중립적이라는 점에서 널리 사용되고 있는 것이 현실이다.

19세기 이후 개발을 산업화의 과정으로 생각하게 된 이유는 무엇보다도 1차산업혁명 이후 대부분의 부자 국가가 산업화에 성공한 국가이었기 때문이다. 흥미로운 점은 18세기 이전에는 농경사회가 더 부유했고, 도시화는 빈곤화를 의미했다. 그러나 18세기 이후의 급격한 기술변화로 인해 산업화와 경제성장은 밀접한 관계를 가지게 되었고, 1차산업혁명 이전 부유했던 국가 중 산업화가 더디었던 국가들이 대부분 현재 상대적으로 덜 부유한 것이 현실이다. 결과적으로 산업화가 부국과 빈국의 차이를 만들었다는 인식에 기반해 개발을 접근하는 관점이 20세기의 주된 담론이 되었다. 그러나 이러한 개발의 담론은 1970년대 이후 많은 비판에 직면했다. 산업화의 현실이 문제였다. 산업화로 인해 농촌의 빈곤층이 도시의 빈곤층으로 단순하게 바뀐 현실은 산업화로 인한 경제성장의 혜택이 소수에게만 돌아가는 것을 의미했고, 개발의 문제를 단지 산업화로 인한 경제성장의 문제로만 취급할 수 없는 상황이 되었다. 결국 개발의 문제는 얼마나 많은 사람이 빈곤한지, 그리고 얼마나 많은 사람이 경제성장의 혜택을 받고 있는지를 살펴봐야 했기에 소득의 분배, 즉 불평등의 문제가 개발의 핵심적 이슈로 주목받기 시작했다. 더불어 경제 불평등은 단순히 소득 및 자산의 불평등에 끝나지 않고, 기회의 불평등, 사회적 자본의 결핍, 사회적 장벽으로 작용해 빈곤의 상태를 더욱 공고화한다는 점에서 개발의 핵심의제로 등장했다. 최근 개발과 관련된 국제기구에서 종종 볼 수 있는 "평등과 함께 하는 성장(growth with equity)"이라는 슬로건(slogan)의 배경이다. 이후 개발은 경제성장 및 정치, 사회발전까지도 포괄하는 개념으로 확장되었다. 아마티아 센(Amartya Sen)으로 대표되는 개발에 대한 역량 접근(capabilities approach)은 빈곤을 상대적인 개념으로 접근하며, 빈곤은 단순히 소득의 문제가 아니라 정치사회적 문제라는 인식에서 출발한다. 개발은 단순히 빈곤을 축소하고 소득을 올리는 문제만이 아니라는 것으로, 소득과 부(wealth)의 목적은 본인이 하고 싶은 것을 하기 위한 수단이고, 가난은 이러한 의미에서 부자유(unfreedom)이며 수단의 결핍을 의미하는 것이다. 결국 개발은 개인 스스로 가치가 있다고 여기는 목표를 달성하는 데 필요한 역량(capabilities)을 증진시키는 것이 중요하고, 이는 단순히 소득의 증가가 아닌 정치적 권리를 포함한 인권 및 차별금지 등을 포함해야 하는 것이다. 현재 국제개발계획(UNDP: United Nations Development Programme)은 이러한 역량접근(capabilities approach)에 기반한 국가별 인간개발지수(human development index)를 1991년부터 발표하고 있다. 인간개발지수는 기존의 소득 위주의 관점에서 벗어나 기대수명, 문맹률, 진학률 등을 포함한 포괄적인 개발지수로서 개발은 정치적, 사회적, 경제적 자유가 동반되어야 한다는 관점을 내포하고 있다. 그러나 경험적으로 경제성장의 수준이 역량접근에 기반한 인간개발지수와 높은 상관관계를 나타내고 있다는 점에서 소득의 증가가 개발에 있어 중요한 측면이라는 점을 간과해서는 안 될 것으로 판단된다.

국제개발협력의
윤리적 기반

　　　　우리는 왜 저개발국가에 관심을 가지고 무엇인가를
해야 할까? 이 질문에 대해 대부분은 경제적 이유, 안보적 이유를
제시하지만, 사실 선진국 국민의 입장에서 지리적으로 멀리 있는
사람들의 문제를 왜 고민해야 하는지에 대한 답을 찾기는 쉬운 일
이 아니다. 그러나 저개발국가의 상황에 대해 무엇인가를 해야 한
다고 생각하는 사람들에게 그 실천의 지속 가능성을 위해서 국제
개발협력의 철학적 또는 윤리적 정당성은 중요하다. 우리는 어떻
게 세계적 빈곤의 현실, 타국의 가난에 대한 실천을 정당화할 수
있을까? 두 가지의 방향이 있을 수 있다. 하나는 국내 분배적 정의
(domestic distributive justice)에 대한 정당성을 국제적으로 확장하는
것이고, 다른 하나는 세계적 차원에서 글로벌 정의(globla justice) 또

는 글로벌 윤리(global ethics)를 새롭게 정립하는 방법이다.

　국내 분배적 정의의 국제적 확장의 가능성부터 살펴보자. 분배적 정의란 무엇인가? 일반적으로 분배적 정의는 자원의 배분과 사회적 정의의 문제를 동시에 고려하는 것으로 자원/재화의 '공정한 배분'을 의미하고, 이는 자원의 배분을 정의(justice)의 시각에서 접근하는 것이다. 문제는 '공정한' 배분은 그럼 어떤 배분인가에 대해 사람들의 생각이 일치하지 않기에 항상 논쟁적이라는 점이다. 가령 한국 사회에서 2000년대 거론되었던 '경제민주화'라는 개념의 경우, 경제의 민주화가 무엇을 의미하는 것인지에 대해 자신의 이념적 입장에서 다른 해석을 하고 있었기에 정치적 대립이 지속되었다. 경제(economy)는 시장(market)에서의 자원배분을 의미하고 시장은 경쟁력이 있는 기업만이 살아남는 차별적 체제이지만, '민주화'는 정치적 평등을 지향하는 개념이다. 경제민주화는 좁은 의미에서는 시장에서의 공정한 경쟁의 보장을 의미할 수 있지만, 확대해석하면 소득분배와 안정적인 경제성장을 위해서는 경제적 자유나 사유재산권이 일부 규제될 수 있는 것을 의미하는 것으로 해석될 수도 있다. 개념 자체가 논쟁적이며 개념에 대한 해석 여부에 따라 정책의 운영이 달라질 수 있는 것이다. 또 다른 예로 대학교에서의 장학금 배분을 생각해볼 수 있다. 성적이 우수한 학생에게 장학금을 지급하는 것이 공정한 것인가? 아니면 경제상황이 안좋은 학생에게 장학금을 지급하는 것이 정의로운 배분인가? 이렇듯 분배적 정의는 논쟁적인 개념이고, 당연하게 공정하고 정의로운 분배에 대한 우리 공동체의 인식은 역사적으로 변화해왔다. 현대적 의미에서 분배적 정의는 모두가 특정 수준의 물질적 수단을 가질 수 있도록 자원이 배분되게 하는 것으로, 인간의 기본적인 필요가 충족되게 하는 것으로 인식되고 있다. 가령 현대적 의미에서 분배적 정의에 의하면, 빈곤한 사람들에게 기본적인 필요가 충족되도록 재화를 배분하는 것은 정당한 것으로 여겨진다. 물론 오래전부터 특정 자원이나 재화에 대한 상충되는 요구나 주장을 해결하는 문제를 정의(justice)의 문제로 취급해왔다. 그러나 이러한 현대적 의미의 분배적 정의처럼 자원의 배분문제를 정의의 문제로 고려하기 시작한 것은 그리 오래되지 않았다. 분배적 정의의 국제적 확장가능성을 논의하기 전에 빈곤에 대한 분배적 정의의 생각이 어떻게 역사적으로 변화했는지 살펴보자.

근대 이전의 시기를 살펴보면 빈곤에 대해 다양한 주장들이 존재한다. 빈곤은 신성한 질서(divine order)의 일부로서 개인의 빈곤은 일종의 죄(sin)에 대한 벌(punishment)로서 생각한 중세의 일부 기독교 성직자들, 빈곤이라는 현세의 고통을 감내하면 다음의 생에서는 부자로 신분이 상승할 것이라는 일부 힌두교의 교리, 개인의 빈곤은 그 개인의 게으름 때문이고, 빈곤은 빈곤한 사람들을 열심히 일하게 만드는 유인이라는 생각 등은 인간은 평등하다는 평등주의적 생각을 사회경제적 평등으로 연결하는 노력을 어렵게 한 것들이다. 그런데 흥미로운 점은 근대 이전 분배적 정의에 대한 인식에 있어 공통적인 특징이 분배는 기여(merit)에 따라 해야 한다는 것

개발과 원조의 정치경제

이다(distribution according to their merit). 아리스토텔레스(Aristotle)는 분배적 정의란 그 사람의 기여, 공적에 따라 배분받는 것을 보장하는 것이라고 주장했다. 일종의 자격(deservingness)의 논리로서 그 사람의 가치, 능력, 공적에 비례해 자원이 배분되어야 하는 생각이었다. 이러한 관점에서 기본적 필요의 충족이라는 현대적 의미의 분배적 정의는 터무니없는 생각이었다. 이러한 자격의 논리는 18세기의 자연권 개념, 사회계약론, 근대계몽주의의 등장으로 빈곤층에 대한 분배가 정당하다는 생각이 정립되기 시작했다. 가령 루소(Jean-Jacques Rousseau)는 "불평등 기원론(Discourse on Inequality)"에서 경제 불평등의 폐해는 정치 불평등을 가져오고, 민주주의 실현을 방해하기에 방지해야 하는 것으로 생각했다. 경제 불평등의 해소를 위해 빈곤층에 대한 분배는 빈곤층이 '시민(citizen)'이라는 자격(merit)이 있기에 정당하다는 것이었다. 이러한 생각은 칸트(Immauel Kant)에 의해 확장되었다. 칸트는 인간은 부자이든, 가난한 사람이든 본질적으로 이성(rationality)을 가진 인간으로 동일한 가치가 있고 동등하게 좋은 삶을 영위할 자격이 있다는 관점에서, 특정 개인의 잠재력이 발현되어야 그 가치가 실현되기에 그러한 잠재력이 발현될 수 있도록 하는 것이 필요하다는 생각이었다. 분배적 정의와 관련해 이러한 생각은 종교적이지 않은 논리로서 모든 인간은 그들이 가진 어떤 능력이나 공적 때문에 가치가 있는 것이 아니지만 분배의 대상이 될 수 있는 것이었다. 이후 현대적 의미에서 분배적 정의는 인간은 어떤 행동이나 능력과 상관없이 분배의 대상으로 자격이 있는 것이고, 분배는 기본적인 필요가 충족되게 하는 것으로 인식되기 시작했다(Rawls 1971).

역사적으로 분배적 정의의 주된 논리였던 자격 또는 보상의 논리는 국제적으로 확장할 수 있는 것인가? 분배적 정의는 국내에서도 논쟁적이라는 점을 고려할 때 국제적 분배적 정의에 대한 합의를 만들어가는 과정은 힘든 작업임을 짐작할 수 있다. 가령 롤스(Rawls 1971)는 분배적 정의의 의무는 국가가 그 시민에게 지는 의무로서 협력을 전제하는 사회가 필요하다는 점을 강조했다. 국제사회는 존재하는가? 선진국은 빈곤국을 도와줄 의무가 있는 것인가? 국제사회가 존재하고 빈곤국은 국제사회 일원으로서 도움을 받을 자격(merit)이 있고 선진국은 도와줄 의무가 있다는 점을 설득해야하는 상황이다. 더불어 보상(compensation)의 논리로서 접근한다면, 빈곤국의 현실이 현재의 국제질서 때문이라는 전제가 필요하다. 또한 국내 분배적 정의의 논리를 국제적으로 확장하는 데에 있어 일반 시민들의 인식 및 행태는 우호적이지 않다. 빈곤국을 도와주는 행위는 자비, 시혜, 선행으로 생각하는 것이 일반적이고, 빈곤국의 사람들은 도움을 받을 자격(deservingness)이 있다고 인식하는 사람들은 그리 많지 않은 것이 현실이다.

그렇다면 두 번째 접근인 지구적, 세계적 차원에서 국제개발협력의 윤리적 토대는 가능한가? 싱어(Singer 2004)는 작은 기부로 고통받는 아이들을 구할 수 있는 것을 알면서도 거부하는 것은 얕은 연못에 빠져 익사할 위험에 처한 아이를 보고도 사소한 이익 때문에 생명을 구하지 않는 것과 같다는 논리로 빈곤국에 대한 원조 (aid)는 도덕적 의무라고 주장했다. 감정적인 측면에서 호소력이 있으나, 국제개발협력 및 원조를 하지 않는 것에 대한 책임을 묻기 어렵기에 기본적으로 매우 느슨한 의무로 규정할 수밖에 없는 문제가 있다. 세계빈곤을 퇴치할 능력이 있음에도 하지 않는 것을 비정의(unjust)로 규정해야 해야 하는 문제가 있는 주장이기도 하다. 이후 포게(Pogge 2008)는 싱어(Singer 2004)의 문제를 다음과 같이 확장했다. 정의(justice)가 가치의 공정한 배분이라면 공동체의 합의 및 집행이 필요한 문제라고 할 수 있다. 이러한 측면에서 글로벌 정의를 결정하고 집행할 공동체의 존재와 권한의 문제가 존재한다. 가령 원조를 하지 않는 것을 일종의 세금체납과 같이 취급할 수 있는가? 글로벌 정의, 글로벌 분배적 정의는 국제사회의 근본적 한계의 문제일 수 있다. 그러나 포게(Pogge 2008)는 냉전 이후 경제질서의 세계화가 공고화되고 있는 현실에서 세계빈곤의 원인이 더 이상 빈곤국의 특수한 사정만의 문제가 아니라는 점에 주목했다. 포게(Thomas Pogge)는 작금의 세계에는 모두 국가가 공유할 수밖에 없는 글로벌 경제질서 및 제도가 존재한다는 점에서 출발해, 선진국의 풍요와 저개발국가의 빈곤은 모두 이러한 질서의 산물이라고 주장한다. 결국 선진국이 이러한 질서를 통해 풍요를 누리면서 빈곤퇴치를 위해 노력하지 않는 것은 현재의 질서를 이용해 빈곤을 강요하는 것이며, 국제개발협력과 원조은 반드시 이행해야 할 의무인 것이다. 베이츠(Beitz 1979)은 글로벌 분배에 있어 평등주의적 접근을 통해 많은 주목을 받았다. 롤스(Rawls)의 논리를 국제적으로 확장하고자 하는 시도로, 베이츠(Beitz 1979)는 빈곤국이 처한 상황은 자의적이며 자신의 선택과 결정에 따른 결과가 아닌 경우가 많다는 점에 주목했다. 일종의 '운 평등주의(Luck Egalitarianism)'의 국제적 확장으로, 가령 자원의 결핍으로 기본적 욕구가 충족되지 못하는 국가에 대한 분배가 정당하다는 것이다. 이러한 접근은 국내적으로도 많은 호응이 있다는 점에서, 분배적 정의는 사회적 협력이 가능한 경우만 적용가능하다는 롤스(Rawls 1971)의 전제가 충족될 수 있다면 설득력이 커질 수 있다.

국내 분배적 문제에 대한 철학적, 윤리적 기반에 비해 국제적 수준에서 글로벌 분배적 정의의 윤리적 토대는 빈약한 것이 현실이다. 국가 중심의 국제정치적 환경 속에서 당연한 현상일 수는 있으나, 관례적이고 연민의 정에 기반한 국제개발협력과 원조는 지속 가능하지 않다는 점에서 국제개발협력의 윤리적 토대는 필수적이다. 지금까지 제기되어온 글로벌 분배적 정의에 대한 가능성은 다음과 같이 정리될 수 있다. 첫 번째는 세계적 총효율의 증가(aggregate efficiency)의 관점에서 글로벌 분배적 정의를 접근하는 방법으로, 글로벌 차원에서 후생(welfare)를 극대화하기 위해 빈곤국에 대한 개발협력 및 원조를 정당화하는 방법이다. 두 번째는 빈곤국의 권리로서 국제개발협력 및 원조를 정당화하는 것이다. 국내 분배적 정의에 대한 많은 사상가의 접근 방법으로서, 국내에서의 분배적 정의를 국제적으로 확장하거나 글로벌 수준에서 정당성을 정립하는 방법이다. 세 번째는 보상(compensation) 또는 자격 (deservingness)의 관점에서 빈곤국에 대한 원조를 정당화하는 방법 이다. 가령 빈곤국의 현실은 과거 선진국의 제국주의적 정책으로 인한 것이기에 지금의 재분배는 정당하다는 논리를 제시하는 것 이다. 각각의 접근은 물론 완벽하지도 않을 뿐만 아니라 매우 논쟁 적인 부분들을 가지고 있다. 그리고 체계적인 철학적 이론, 도덕적 정당성이 없어도 국제개발협력 및 원조는 물론 가능하다. 다만 감 성주의적 접근은 지속 가능하지 않다는 점에서 국제개발협력에 대 한 철학적 윤리적 토대를 위한 고민은 계속되어야 할 것으로 판단 된다.

정치연구총서 10

2장
저개발의 원인:
왜 가난한 나라는 가난한가?

자원의 저주
(Resource Curse)

'기름 한 방울 나오지 않는 한국'이라는 말을 일상적으로 듣고 자란 한국인들에게 저개발국가와 관련해 최근 많이 언급되는 '자원의 저주'는 이해하기도 힘들고, 이해하고 싶지도 않은 현상일지도 모른다. 그러나 흥미롭게도 빈곤국의 공통적인 특징 중의 하나는 천연자원이 정부 재정(government revenue)에 차지하는 비중이 높다는 점이다. 전 세계 국가 중 소득순으로 최하 10%의 국가 중 30%는 정부 재정의 대부분을 천연자원 수출에 의존하고 있다(Collier 2007). 이러한 빈곤국의 현상을 '자원의 저주(resource curse)'라고 표현하는데, 여기서 천연자원은 농산물을 제외한 석유, 천연가스, 광물 등을 의미하는 것으로 '자원의 저주'는 역설적으로 천연자원이 풍부한 국가일수록 빈곤한 경우가 많은 현실을 지칭

개발과 원조의 정치경제

한다. 물론 천연자원이 풍부한 국가들 모두가 빈곤하지 않다. 가령 노르웨이와 같이 북해유전을 활용한 경제성장을 지속해 자원의 저주가 아닌, 자원의 축복을 받은 예외적인 국가도 존재한다. 그러나 저개발국가들의 경우, 일반적으로 천연자원이 풍부할수록 경제성장이 더딜 뿐만 아니라, 흥미롭게도 비민주주의 국가일 확률이 높다.

자원의 저주: 천연자원의 수출(% GDP)과 경제성장(일인당 국내총생산 성장률)

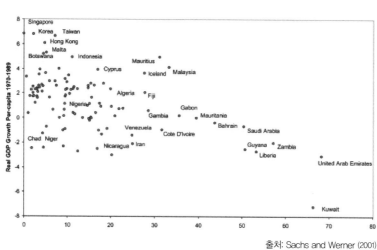

출처: Sachs and Werner (2001)

'자원의 저주' 현상의 이유는 무엇인가? 경제적 측면과 정치적 측면이 존재한다. 경제적 측면에서 자원의 저주는 소위 '네덜란드 병(dutch disease)'이라고 불리는 현상으로 천연자원 수출의 급격한 증가가 경제침체의 결과를 가져오는 현상을 의미한다. 1960년대 네덜란드는 북해유전의 개발로 인해 석유수출이 급격히 증가했고, 이는 네덜란드 화폐의 환율상승으로 이어졌다. 결과적으로 이러한 환율상승은 다른 산업의 경쟁력 하락을 의미했고, 1970년대 네덜란드는 인플레이션 상승, 제조업 수출 하락, 낮은 소득증가율, 그리고 실업률 증가를 경험했다. 천연자원개발로 국내 경제적 자원이 이동함에 따라 임금상승 및 장기적으로 더 중요할 수 있는 혁신산업의 경쟁력을 상실하는 상황에 직면했다. 네덜란드병은 이 당시 네덜란드가 천연자원 개발로 경험한 경제침체를 의미하는 것으로 현재 자원개발로 인한 부작용을 일반적으로 지칭하는 용어로 사용되고 있다.

나이지리아(Nigeria) 또한 자원개발이 가져오는 부정적 결과를 경험한 경우다. 나이지리아는 1970년대 발생한 전 세계적인 석유파동(oil crisis)으로 인해 석유 수출 가격의 급격한 증가를 경험했다. 그러나 이러한 수출의 증가는 결과적으로 나이지리아의 경제성장에 도움이 되지 않았다. 나이지리아 정부는 석유가격 폭등으로 인한 수익으로 대대적인 정부지출을 증가했는데, 가령 공공투자를 기존 GDP 대비 4% 수준에서 30%로 늘렸다. 문제는 지출의 내용이었다. 석유 수출로 인한 수익은 대부분 공무원 연봉과 국방비 증액으로 지출되었고, 나이지리아의 높은 부패 수준(corruption)으로 인해 천연자원 개발로 인한 수익이 오히려 경제성장에 부정적인 결과를 가져왔다. 동시에 나이지리아 또한 '네덜란드병'의 현상과 같이 석유수출의 급격한 증가로 인한 환율상승에 따라 다른 산업 분야 수출의 90% 이상이 하락하는 결과를 맞이했다. 이는 나이지리아의 전통적인 수출 분야인 농산물의 이익률을 급격하게 하락시켰고, 결과적으로 나이지리아의 농업생산 축소 및 중단의 결과로 이어졌다. 베이츠(Bates 1981)의 표현을 빌리자면, 농부들의 국가가 자신이 먹을 것을 제공하지 못하는 상황이 되어버린 것이다. 이후 1980년대 석유가격은 하락했지만, 1970년대 높아진 공공지출은 지속되었고, 결과적으로 천연자원으로 인한 경제성장은 경험하지 못했을 뿐만 아니라 빈곤율과 경제불평등이 상승하는 것을 경험했다. 이러한 나이지리아 사례는 네덜란드의 경우와 다르게 '자원의 저주'가 단순히 경제적 측면의 문제가 아님을 보여주는 사례이고, 천연자원 수출로 증가한 수익이 비생산적인 부분으로 투입된 이유에 대한 설명이 필요하다는 것을 시사한다.

반면 인도네시아의 사례는 천연자원의 수출증가로 인한 부정적 효과를 어떻게 대처하는지에 따라 결과가 다를 수 있다는 점을 보여준다. 인도네시아 또한 1970년대 석유파동으로 급격한 석유 수출의 증가를 경험했다. 당시 석유생산이 차지하는 비중이 GDP의 15%까지 상승하면서 환율이 30% 이상 평가절상되었다. 나이지리아와 유사하게 인도네시아도 급격한 수출 증가로 인한 수익을 토대로 정부지출을 60% 이상 확장했으나 그 지출내용에는 차이가 있었다. 기존의 전통적인 주력 수출산업이었던 농업에 대대적인 투자를 진행했고, 이는 농업 생산성 및 생산량의 증가로 이어졌다. 더불어 석유 수출 증가로 인한 환율상승이 다른 산업 분야의 경쟁력 감소로 이어지는 것을 방지하기 위한 외환시장 개입을 통해 환율의 안정화를 도모했다. 이러한 정책들은 다른 산업 분야 수출이 연 8% 이상 증가하는 데에 기여했고, 이후 세계화에 적극 동참하면서 인도네시아 사례는 아시아의 또 다른 성공 사례로 자리매김했다.

나이지리아와 인도네시아의 경험은 '자원의 저주'가 단순히 경제적 효과만으로 설명되지 못한다는 점을 잘 보여준다. 정치적 측면에서 자원의 저주는 천연자원에 대한 의존성으로 인한 정치체제의 효과를 의미하고, 일반적으로 '정치적 네덜란드병(political dutch disease)'이라고 표현된다. '정치적 네덜란드병'은 천연자원이 풍부한 국가는 비민주주의적 정치체제에서 벗어나기 어렵다는 현상을 의미하는 것으로, 천연자원에 대한 의존성이 권위주의체제의 공고화에 기여하고, 이는 지속적인 경제성장에 부정적인 영향이 있다는 것이다. 대부분의 천연자원은 국가의 자산이고 국유화되어 있는 현실에서, 천연자원 수출로 인한 수익은 지배계급의 수익으로 귀결될 가능성이 높다. 이는 천연자원 수출로 인한 수익이 지배층에 편향적으로 분배되어 결과적으로 국가의 정치적, 경제적 불평등 수준이 커지는 결과를 가져온다. 권위주의 정권에게 천연자원으로 의한 재정수입은 세외수입(non-tax revenue)으로서 이는 권위주의 정권이 세수 확대를 위한 정치적 타협의 필요성 및 정치적 책임성을 낮추는 효과가 있다. 즉 "대표 없이 과세 없다(no taxation without representation)'라는 민주화의 대표적인 메커니즘이 작동되

개발과 원조의 정치경제

지 않기에 권위주의가 지속되는 정치적 환경을 제공한다. 권위주의 정권은 대중과의 정치적 타협, 그리고 정치적 책임성을 고려하지 않아도 되기에 교육을 포함한 공공재에 대한 투자를 확대할 유인이 작고, 세외수입의 증가로 정실주의(patronage system)가 강화되어 독립적인 시민사회가 형성되는 것이 억제될 가능성이 높다. 더불어 권위주의 정권의 지배계층은 천연자원으로 인한 수익을 자신을 보호하기 위한 군사지출에 사용함에 따라 권위주의 정권이 더 권위주의적이 될 가능성이 높다. '자원의 저주' 현상이 정치적 문제이고, 정치 거버넌스의 문제인 이유다.

부패
(Corruption)

부패가 존재하지 않는 국가가 없다. 일반적으로 부패란 공적 지위를 이용해 사적 이익을 취득하는 행위를 의미한다. 이런 의미에서 가령 국회의원이 자신이 지역구에 대한 예산을 늘리기 위해 협상을 하는 것들은 부패에 포함되지 않고, 이익집단(interest group)이 국가기관에 대한 로비(lobby)를 통해 자신이 원하는 것을 얻는 행위는 정치과정 일부분으로 취급하는 국가와 아닌 국가가 존재하기에 국가별 제도의 차이에 따라 부패에 포함될 수 있다.

부패 수준이 높음을 우리는 어떻게 알 수 있는가? 부패의 행위는 본질적으로 비밀스러운 행위이기에 객관적 측정이 불가능하다. 예를 들어 어떤 국가의 부패에 관한 사건·사고가 많다고 해서 그

국가의 부패 수준이 다른 국가에 비해 상대적으로 높다고 할 수 없다. 왜냐하면 부패와 관련된 사건의 수가 작은 국가가 오히려 가령 경찰 또는 사법부의 부패 수준이 높아서 사건 자체가 기소 또는 처벌을 받지 않을 수 있기 때문이다. 객관적 측정의 문제로 현재 국제기구, 정부, 연구소 등에서 발표하는 국가별 투명성지수와 부패지수는 사람들의 인식조사에 기반한 주관적 측정이다.

부패인식지수(CPI: Corruption Perceptions Index)

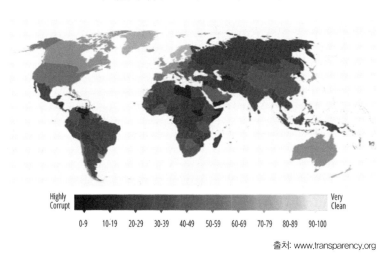

출처: www.transparency.org

부패는 경제성장 및 개발에 항상 부정적인가? 흥미롭게도 관료제가 비대하거나 규제가 많은 국가의 경우, 부패를 일종의 세금으로 간주해 경제성장에 긍정적이라는 견해가 존재한다. 행정제도의 개선이 어려운 구조에서 부패가 오히려 개인이나 기업이 직면한 문제를 해결하는 데 오히려 효과적이라는 주장으로, 서구식 표현으로 '바퀴에 기름칠하기(greasing the wheels)'라는 것이다.

그러나 부패는 세금의 효과와는 전혀 다르기에 부패는 개발 및 성장에 부정적이다. 왜냐하면 부패와 뇌물은 기본적으로 규모나 그 시기를 예측할 수 있지 않기에 공식적인 제도를 악화시키고 개인 및 기업의 투자를 억제하는 효과가 있다. 부패 수준이 높을수록 기업의 장기적 투자는 억제되어 기업의 창의적 기술개발에 부정적 효과가 있을 뿐만 아니라 기업에 규제를 통한 독점적 지위를 유지하게 하는 유인 또한 제공한다. 더불어 높은 수준의 부패는 시민들이 혁신적인 기술개발보다는 규제를 담당하는 공무원을 선호하게 유도해 개발의 동력을 저하하는 부정적 효과가 있다. 무엇보다도 부패는 또 다른 부패를 가져올 가능성 높다는 점에서 부패의 악순환에 빠질 가능성이 매우 높다. 실증적 지표들은 부패와 경제성장은 약 0.8 정도의 상관관계가 있음을 보여주고 있다(World Bank 2020). 부패는 개인과 기업에 세금보다 약 3배 이상의 부정적 효과가 있는 것으로 추정되고 있다. 가령 저소득층에 대한 보조 프로그램의 경우, 국가의 부패 수준에 따라 저소득층에 대한 혜택이 20%까지 차이가 있고(World Bank 2020. 공교육의 지출감소와 교육의 질(quality)), 금융대출의 크기, 안전수준 등 부패가 가져오는 부정적 효과에 대한 증거는 넘쳐난다(Acemoglu and Verdier 2000).

그렇다면 왜 일부 국가는 더 부패한 것인가? 일상에서의 경험은 부패에는 다양한 원인이 있다는 점을 시사한다. 학술적 측면에서는 민주주의의 경험이 오래될수록 부패 수준이 낮다는 연구, 대통령제가 부패 수준이 높다는 연구, 선거제도로서 비례대표제가 부패 수준이 상대적으로 높다는 연구 등 다양한 정치경제적 변수들에 관한 연구가 존재한다(Olken and Pande 2012). 그런데 무엇보다도 중요한 것은 부패는 빠르게 개선되지 않는다는 점이다. 그 이유는 부패의 덫(corruption trap)이 항상 작동하기 때문인데, 다음의 두 가지 가능성만이 존재함을 생각해보면 직관적이다(Collier 2007). 첫 번째 가능성은 사람들이 다른 사람들도 부패했을 것으로 인식하고 부패행위를 하기에 부패의 수준이 매우 높은 경우와 두 번째 가능성은 사람들이 다른 사람들도 부패하지 않기에 자신도 부패행위를 절제해 부패의 수준이 매우 낮은 경우다. 문제는 이 두 가지의 가능성 중 어떤 상황에 놓이던 그 상항이 오래갈 수밖에 없다는 점이다. 왜냐하면 가령 부패의 수준이 높은 경우, 이러한 부패에 대한 평판은 모든 시민과 기업의 행위에 영향을 미쳐 가령 일시적으로 부패의 정도 높아졌어도 그 부패의 수준은 쉽게 내려오지 않는다. 반대로 가령 반부패 정책(anti-corruption)으로 부패의 수준이 낮아지면 그 효과 또한 오래 지속될 가능성이 있다. 어떻게 높은 부패 수준의 덫에서 벗어날 수 있는 것인가? 명확한 답은 없지만 부패 정도가 낮은 상태에서 진입하면 그 상태가 오래갈 수 있다는 점에서 부패방지를 위한 노력은 지속되어야 한다.

이익집단
(Interest Group)

사회에는 여러 조직과 집단이 존재한다. 일부는 사회를 위한 공공재를 제공하고, 어떤 집단은 구성원의 사적 이익을 추구한다. 여기서 살펴보는 이익집단은 후자를 의미하는 것으로 지대추구행위(rent-seeking behavior)를 통해 특정 집단으로 자원의 재분배를 추구하는 행위를 하는 집단을 의미한다. 이익집단의 행위는 정부의 정책 및 규제 등을 통해 자원배분의 효율성을 저하하기에 개발에 부정적인 영향을 있다는 것이 일반적인 시각이다. 물론 이익집단의 지대추구행위는 항상 성공적이지 않다. 그 이유는 로비(lobby) 및 뇌물의 비용으로 인해 지대(rent)가 상실될 수도 있고, 혁신적인 기술 등장으로 기존의 산업이 몰락할 수도 있다. 더불어 또 다른 이익집단과의 갈등으로 집단의 이익은 항상 담보되지 않는다. 그러나 이익집단의 행위가 결과적으로 성공하는 것과 관계없이 사회의 자원 및 소득을 재분배하려는 이익집단의 행위는 경제 및 개발에 부정적인 영향을 가져온다. 왜냐하면 정부의 규제 및 입법을 위한 로비활동과 이를 저지하려는 감시 및 감독의 비용을 포함한 거래비용이 증가하기에 비생산적이라고 할 수 있다. 경험적으로 이익집단으로 인한 정부규제로 인해 생기는 자중손실은 GDP의 약 1% 이상으로 추정되고 있다(Boyce 2000).

규제와 자중손실

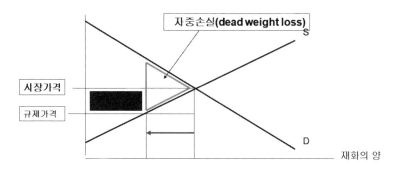

이익집단이 경제성장에 미치는 영향에 관해 올슨(Olson 1982)의 연구는 흥미롭다. 올슨은 집합행동에 관한 자신의 연구(Olson 1965)를 경제성장 문제에 적용하며 다음과 같은 주장을 제시했다. 분배적 연합(distributive coalition)이란 사회의 자원을 자신에게 분배하고자 하는 이익집단으로서, 이러한 분배적 연합은 정부에 대한 로비를 통해 독점적 위치를 강화한다는 것이다. 분배적 연합의 행위는

단기적으로 가격의 상승, 거래비용의 증가, 그리고 궁극적으로 자원의 비효율적 사용을 증가시켜 경제성장을 둔화할 뿐만 아니라, 장기적으로 분배적 연합의 활동으로 인한 독과점의 강화는 시장 경쟁의 수준을 떨어뜨리고, 이는 국가의 혁신성 및 생산성 하락으로 이어진다는 것이다. 올슨(Olson 1982)의 주장에서 흥미로운 점은 국가의 정치체제가 안정적일수록 분배적 연합의 수가 증가한다는 것이다. 정치적, 안보적, 경제적 위기를 경험하지 않은 사회일수록 분배적 연합은 지속할 수 있다는 점을 강조했다. 예를 들어 올슨은 왜 제2차 세계대전에서 패한 독일과 일본은 빠른 경제회복을 경험했는가에 대해, 전쟁의 패배로 인해 기존의 분배적 연합이 붕괴했고, 이는 추후 빠른 경제회복으로 이어졌음을 지적했다. 물론 올슨의 주장과 다른 대안적 설명도 존재할 뿐만 아니라 독일이나 일본의 경우 분배적 연합 또한 빠르게 다시 형성되었다는 점, 그리고 경험적으로 올슨의 주장에 대한 강한 실증적 증거 또한 존재하지 않는다. 그럼에도 불구하고 올슨의 주장은 선진국 경제의 스태그플레이션(stagflation) 현상에 대한 정치적인 설명으로서 이익집단의 부정적 역할을 제시했다는 점에서 그 기여가 있다.

스태그플레이션(stagflation)은 인플레이션(inflaction)과 실업(unemployment) 간의 관계를 설명하는 필립스 커브(philips curve)의 예외적 현상으로, 인플레이션과 실업이 동시에 증가하는 현상을 의미한다. 올슨(Olson 1982)에 따르면, 스태그플레이션은 불경기(depression)에 분배적 연합이 독과점적 위치를 이용해 가격을 내리

개발과 원조의 정치경제

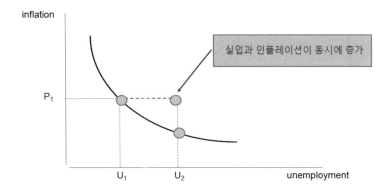

스태그플레이션

inflation

실업과 인플레이션이 동시에 증가

P_1

U_1 U_2 unemployment

지 않고 생산량을 감산하기 때문인데, 이는 분배적 연합(독과점 기업, 노조)이 가격 인하와 임금 삭감을 거부함에 따라 나타나는 결과이고, 이는 이익집단의 활동으로 사회가 바람직하지 않은 경제적 현실에 직면할 가능성을 제시한 것이다.

올슨의 관점은 물질적 이익을 추구하는 이익집단은 집단행동의 문제(collective action problem)에 직면하기에 모든 이익집단이 성공적이지는 않지만, 무임승차의 문제(free riding problem)를 극복하는 이익집단이 많이 형성될수록 사회의 자원을 자신의 집단으로 재분배하려는 노력 또한 증가하는 것을 의미하고, 이는 경제성장 및 개발에 부정적이라는 점을 시사한다. 이러한 관점은 정부의 개입을 축소하고 시장경제를 중요시하는 자유주의적 시각으로 16세기 이후 왜 일부 유럽국이 더 빠르게 성장했는지를 설명한 노스와 토마스 (North and Thomas 1973)와 유사한 논리다. 시장실패에 대한 고려가

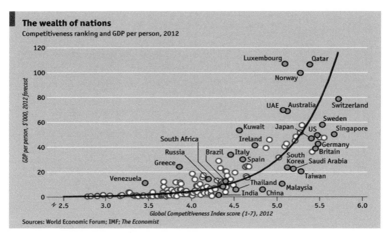

없다는 점에서 주장의 한계가 있지만, 경험적으로 시장 경쟁수준
과 경제성장의 관계가 매우 높다는 점에서 주목할 필요가 있다.

정치제도
(Political Institutions)

정치제도(political institutions)는 시민들의 행위에 영향을 미칠 뿐만 아니라 정책의 우선순위를 결정하고 소비, 생산, 투자, 저축 등의 정치·경제적 거래비용에 영향이 있기에 경제성장 및 개발과 밀접한 관계가 있다. 개인, 기업, 국가는 주어진 제도 아래에서 전략적 선택을 한다는 점에서 정치·경제적 주체들(agents)은 제도에 의해 특정 방향으로 유도된다고 할 수 있다. 정치제도는 개발에 어떻게 영향을 미치는가?

정치제도는 정치공동체가 직면하는 다음의 본질적인 딜레마에 대한 긍정적 또는 부정적 해결책을 제시한다. 첫 번째 딜레마는 협력(cooperation)과 조정(coordination)의 문제다. 협력의 문제는 공공재의 제공, 공유지의 비극(tragedy of commons)을 해결하는 문제와 관련이 있고, 조정의 문제는 사회가 어떤 방향으로 나아갈 것인가, 즉 수많은 정책의 우선순위에 대한 합의의 문제로서 경제성장 및 개발에 있어 중요하다. 협력의 문제는 일반적으로 죄수의 딜레마(prisner's dilemma), 공유지의 비극(tragedy of commons), 집단행동의 문제(collective action problem)로 구분해 설명된다. 죄수의 딜레마는 '똑똑한 개인, 멍청한 그룹(smart individuals, dumb society)'의 상황을 비유한 것으로, 주어진 상황에서 각 개인은 자신의 이익을 극대화하는 선택을 하는 경우 그룹으로서 또는 공동체로서 최상의 선택을 하지 못하는 경우를 보여준다. 공유지의 비극은 한정적인 공유자원을 사회 구성원들이 자신의 이익을 극대화하는 경우 남들보다 더 사용할 유인이 있기에, 개인들의 과대소비(over-consumption)의 현상으로 인해 자원이 고갈되는 상황을 제시한다. 집단행동의 문제는 사회 구성원들이 공통된 목적(공공재)을 달성하기 위해 모두 기여를 한다면 그 목적을 달성할 수 있으나, 무임승차의 유인으로 인한 집합행동의 어려움을 의미하는 것으로 집단행동의 문제, 즉 무임승차(free-riding)의 유인을 해결하지 못하는 사회는 공공재가 제공되지 못할 가능성이 높음을 보여준다.

조정(coordination)의 문제는 루소(Jean-Jacques Rousseau)가 제시한 사슴사냥의 상황으로 비유된다. 사슴사냥의 상황은 다음과 같다. 두 명의 사냥꾼이 있고, 사냥꾼들은 사슴(stag) 또는 토끼(hare)를 사냥할 수 있다고 가정하자. 토끼보다는 사슴이 더 가치가 있지만 사슴사냥에 성공하려면 두 명이 자신의 행위를 조정(coordinate)해 같

이 사냥해야 가능하다고 가정하면, 다음 표와 같은 상황이라고 할
수 있다. 주어진 상황에서 사냥꾼들은 사슴을 사냥할지 토끼를 사
냥할지 선택해야 하고, 두 사냥꾼이 자신의 선택을 조정해 같이 사
슴을 사냥할 때 그 결과가 가장 최적의 상황이다. 이 두 명의 사냥
꾼의 선택을 조정(coordinate)해 더 낳은 결과를 가져오게 하는 제도
가 존재하는가? 어려운 질문이고 명확한 답은 존재하지 않으나 여
러 가능성을 생각해볼 수 있다. 사회적 규범 등 개인의 선택에 미
치는 다양한 요인들이 존재한다. 그러나 무엇보다도 제도적 측면
에서 민주주의가 비민주주의보다 이러한 협력과 조정에 있어 우수
하다는 점은 강조되고 있다. 그 이유는 민주주의에서만 존재하는
결사의 자유, 다양한 결사체의 존재, 그리고 민주적 규범들이 개인
의 선택에 영향을 미쳐 결과적으로 우수한 초점(focal points)을 제공
할 가능성이 높기 때문이다(Schelling 1960).

조정(coordination)의 문제

		사냥꾼 2	
		사슴	토끼
사냥꾼 1	사슴	**4, 4**	0, 3
	토끼	3, 0	3, 3

두 번째 딜레마는 정보의 문제(informational problem)다. 정보의 문
제는 정치·경제적 주체들이 직면할 수밖에 없는 정보의 비대칭성

으로 발생하는 문제를 의미한다. 정보의 비대칭성 상황은 두 가지 문제, 거래이전의 문제(ex-ante problem)와 거래이후의 문제(ex- post problem)로 구분될 수 있다. 거래이전의 문제는 중고차 시장의 거래에서 발생하는 숨겨진 정보(hidden information)의 문제로 종종 비유되는 상황으로, 정치·경제적 거래에서 거래의 대상에 대한 정보가 모두에게 공유되지 못함으로 생기는 문제다. 숨겨진 정보, 즉 물건을 파는 개인만 알고 물건을 사는 개인이 모르는 정보 때문에 소비자는 역선택(adverse selection)할 가능성이 높다. 가령 정치적 거래에서는 유권자들은 정치인에 대한 정보가 숨겨져 있거나 왜곡되었으면 무능력한 정치인을 선출할 가능성이 높은 것이고, 경제적 거래에서는 상품에 대해 판매자만이 아는 정보가 있다면 소비자는 불량품을 구매하게 될 가능성이 높다. 거래이후의 문제(ex-post problem)는 숨겨진 행동(hidden action)의 문제로서 거래의 약속이 지켜지지 않음으로써 발생하는 문제를 의미한다. 도덕적 해이(moral hazard)라고 지칭되는 현상으로, 예를 들어 선거에서 선출된 정치인이 공약을 이행하지 않는 행위, 피고용자가 계약에 따라 업무를 수행하지 않는 행위, 정부가 발표했던 규정을 바꾸거나 이행하지 않는 행위 등의 상황을 의미한다. 이러한 정보의 문제는 결과적으로 거래비용을 증가시켜 사회의 효율성 및 신뢰를 현저히 떨어뜨리기에 국가의 경제성장 및 개발에 부정적으로 작용한다. 그렇다면 어떠한 제도가 이러한 정보의 문제를 완화 또는 악화하는가?

대표적으로 민주주의 정치제도가 정보의 문제에 미치는 영향을 살펴볼 수 있다. 정치학 연구에서는 정보의 문제를 정치적 위험(political risk)이라는 개념으로 역선택 및 도덕적 해이의 문제가 분석되며, 민주주의와 비민주주의의 효과는 다음과 같은 주장이 가능하다. 첫째, 민주주의의 정책적 불안정성(policy instability)이 비민주주의(non-democracy)보다 클 수 있다는 주장이다. 민주주의 제도에서는 무엇보다도 정치인들이 선거 승리를 위해 정책을 남발하는 경향성, 그리고 이념 성향이 다른 정당 간 정권교체로 인한 정책의 급격한 변화 가능성은 정책의 예측성을 현저히 떨어뜨리기에 정치·경제적 활동에 부정적 영향이 있다는 주장이다. 더불어 민주주의에서는 이익집단들의 정책적 접근성이 상대적으로 높고, 민주주의 제도가 제공하는 재분배정책의 편향성은 국가의 경제성장 및 개발에 부정적일 수 있다는 논리다. 가령 특정 조건 아래 민주주의의 정치 및 정책적 결과를 설명하는 중위투표자 정리(median voter theorem)에 따르면, 일반적으로 사회의 중위투표자(median)는 저소득층이라는 점에서 민주주의의 정책은 소득분배와 누진세를 강화하는 재분배정책이 강화되고, 이는 반기업적(anti-business)의 결과를 가져올 수 있다는 것이다.

그러나 이러한 주장에 대한 반론 또한 존재한다. 민주주의는 비민주주의보다 정치적 위험(political risk)이 낮을 수밖에 없는 이유가 존재하는데, 이는 민주주의에서는 제도적 거부권 행위자(institutional veto player)의 수가 비민주주의에 비해 많기에 정책은 쉽게 변할 수 없고, 이는 결과적으로 정부 정책의 신뢰성을 높이는 역할을 한다는 것이다(Tsebelis 2002). 다수의 거부권 행위자의 존재로 급격한 정책변화는 제한적이고, 상대적으로 정책의 불확실성이 낮다는 것이다. 더불어 민주주의의 특성상, 정책 및 정치의 투명성이 높고, 정치인들이 공약이나 입장을 쉽게 바꾸는 행위가 정치인들의 평판(reputation)에 미치는 영향 또한 비민주주의에 비해 상대적으로 높기에 민주주의는 정보의 비대칭성으로 인한 역선택 및 도덕적 해이를 해결하는 데 있어 비민주주의보다 우수하다는 것이다.

세 번째 딜레마는 '신뢰할 만한 약속의 문제(credible commitment problem)'로서, 이는 정치·경제적 주체들의 선택 및 거래가 항상 동시에 일어나지 않기 때문에 발생하는 문제다. 선택의 순차성으로 인한 비동시성은 신뢰(credibility)의 문제를 발생한다. 가령 일반적인 상황에서는 정부의 균형예산 및 재정적자에 대한 정책이 발표되면 경제주체들은 이러한 정부 방침에 따라 자신의 경제적 선택을 할 것이지만, 만약 정부 정책의 신뢰성이 높지 않다면 다른 경제적 선택을 할 것이고 이는 정부가 예상했던 결과가 아닌 다른 상황으로 귀결될 가능성이 높다. 인플레이션(inflation)을 억제하기 위해 금리 인상의 방향성을 유지하고 있는 정부 정책에 대해 개인 및 기업이 정부는 선거 전에 득표를 위해 양적완화 정책을 펼칠 가능성이 높다고 판단한다면, 정부가 예상했던 통화정책의 결과가 아닌 매우 다른 상황이 나타난다. 어떠한 정치제도가 정부 정책의 신뢰성을 높이는가? 앞에서 언급된 것와 같이 민주주의는 비민주주의국가에 비해 여러 국가기관 간의 상호견제 및 균형의 제도화 수준이 높다. 결국 이러한 권력의 분산과 견제, 그리고 다양한 국가 기관의 독립성은 정부의 신뢰성을 높이는 방향으로 작동한다는 것이 일반적인 견해다.

민주주의의 경험과 경제성장

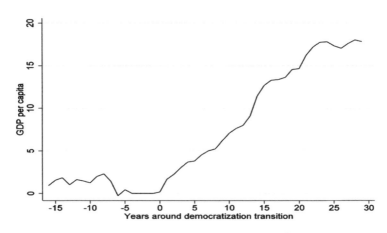

출처: Acemoglu et al.(2019)

경험적 증거는 민주주의와 경제성장의 관계가 높은 상관관계가 있음을 보여준다. 더불어 19세기 이후 국가 간 경제 수준의 차이와 국가 간 민주주의 발전의 차이가 중첩된다는 사실은 민주주의와 경제발전이 밀접한 관계가 있음을 시사한다. 이러한 경험적 관계는 유의미한 관계인가? 민주주의가 경제발전에 미치는 영향에 대한 논쟁은 역사적으로 지속되어왔고 진행 중이다(Acemoglu et al. 2019). 빈곤국들은 민주주의를 운영할 수 있는 문화적, 제도

적 기반이 약하기에 독재체제가 더 적합하다는 주장 등은 개발
(development)에 있어 민주주의는 적합하지 않다는 회의적인 견해가
지속되었다. 그러나 이론적 측면에서 일반적으로 민주주의와 경제
성장의 관계는 아래의 그림과 같이 인식될 수 있다.

민주주의와 경제성장

경험적 측면에서 법치주의와 경제성장의 관계는 명확하다. 그
런데 문제는 현실에서 민주주의와 법치주의의 관계가 모호하다
는 점이다. 경험적으로 권위주의 국가들이 강한 법치주의를 유지
하는 경우도 있을 뿐만 아니라 민주주의의 수준은 높으나 법치주
의 수준이 낮은 국가가 다수 존재한다. 이러한 측면에서 민주주의
와 경제성장의 관계는 경험적으로 모호한 측면이 있다. 다만 경제
성장을 제외한 개발의 지표들, 가령 의료, 보건, 기대수명 등을 살
펴보았을 경우, 민주주의의 효과는 명확하다(Acemoglu and Robinson
2012). 이러한 이유로 민주주의는 개발의 충분조건이지만 필요조건
이 아니라는 것이 현재 일반적인 경험적 추론이다.

다양한 민주적 제도 중 경제개발에 우호적인 제도가 존재하는
가? 명확한 답은 존재하지 않지만, 다음과 같은 관계를 생각해볼
수 있다. 경제개발을 위해서는 투자와 성장에 우호적인 정책이 필

요하고, 이러한 정책은 신뢰적이어야 한다는 측면에서 내각제와 대통령제를 비교해볼 수 있겠다. 정책의 신뢰성은 정부가 직면한 청중비용(audience cost)이 높고, 권력분립 등 제도적 거부권 행사자가 많은 경우, 정책의 급격한 변화가 어렵기에 민주주의 제도의 신뢰성은 공통적으로 높다. 그런데 경제개발에 우호적인 정책이 입법화되고 집행되어야 한다는 관점에서 생각해보면, 대통령제는 권력분립과 분점정부(divided government)의 현상으로 정책의 정체(gridlock)가 빈번해 경제성장과 개발에 우호적인 정책 자체가 시작되지 않을 가능성이 높다점에서 내각제보다 우월하지 않다. 반면 내각제에서 정체(gridlock)의 결과는 제도적으로 정당 간 타협(compromise)을 유도하기 때문에 정책이 입법화되고 시행될 가능성이 높다. 그 이유는 내각제에서는 정권의 생존을 위해 정치인들은 타협해야 하고, 정당들은 강요된 협력 및 협치(forced compromise)를 할 수밖에 없기 때문이다. 내각제는 잦은 선거로 인해 표면적으로는 혼란스럽지만, 장기적으로 경제발전과 개발에 우호적일 가능성이 높다(Nooruddin 2010). 경험적으로 저소득국가의 75%가 대통령제이며, 선거제도로 단순다수제를 채택하고 있고 내각제와 비례대표제를 채택하고 있는 국가의 경우 정책의 성격이 더욱더 공공적이라는 현실은 내각제가 경제성장 및 개발에 더 우호적일 가능성을 시사한다.

민주주의와
다양성(Diversity)

　　민족적 다양성(ethnic diversity)이 높은 저개발국가에서 자주 나타나는 민족 간 갈등 및 높은 경제불평등의 현실은 사회의 다양성이 경제성장 및 개발에 우호적이지 않다는 편견을 가지게 한다. 우리의 일상생활에서도 '사공이 많으면 배가 산으로 간다'라는 등의 표현은 사회가 직면한 문제를 해결하는 데 있어 다양성이 미치는 부정적 견해를 내포하고 있다. 그러나 최근 공동체의 다양성은 그 공동체의 문제해결능력에 긍정적으로 기여한다는 주장들이 제기되고 있고, 다양한 배경의 직원으로 구성된 기업의 성과가 우수하다는 경험적 증거들로 인해 다양성의 증진이 가져오는 결과에 대한 인식이 변화하고 있다. 개발(development)이 사회가 주어진 문제를 해결하면서 삶의 질을 높여가는 것이라고 한다면, 개방되

고 세계화된 우리의 현실에서 사회의 문제해결능력에 있어 다양성
이 미치는 영향에 대한 이해가 필요하다.

다양성(diversity)과 무능한 민주주의

자유와 평등을 기반으로 하는 근대적 의미의 민주주의가 정당
성 있는 정치체제로 정착하는 데 2000년 이상이 걸린 이유는 무
엇보다도 소위 '멍청한 다수의 지배'(rule of the dumb many)로 표현
되는 인민의 통치능력, 즉 무능하고 무지한 다수에 의한 통치가 전
문적인 정치인, 철학자, 관료들에 의한 통치보다 우월할 수 없다는
편견에 기인한다. 다수의 지배는 무지한 대중의 의견을 우선시하
기에 소위 다수의 폭력(tyranny of the majority)이 항상 존재할 수밖에
없고, 결국 민주주의는 문제해결능력이 뛰어날 수 없다는 것이다
(Dahl 1989; Landemore 2013). 이러한 관점은 20세기에 들어와서 일반
시민들은 스스로 통치(govern)할 수 없기에 선거를 통해 지도자를
선출할 뿐이고 정치적·정책적 결정은 선출된 대표인 정치엘리트에
게 위임할 필요가 있다는 슘페터(Schumpeter)의 최소주의적 민주주
의론으로 이어졌다. 슘페터의 관점에서 민주주의는 인민이 선거를
통해 자신들을 지배할 사람을 선택하거나 거부할 권리만을 보장하
는 것으로, 인민은 정부를 만드는 역할만 할 뿐 정치적 문제를 제
기하고, 그에 대한 해결책을 제시하는 것은 정치엘리트의 역할인

것이다(Schumpeter 1942).

20세기 이후 '인민에 의한 지배'로서 민주주의에 대한 윤리적·철학적 정당성이 많이 논의되었음에도(Held 2006), 일반 시민의 능력과 지성에 대한 전통적인 편견은 지속되었다. 이론적·경험적으로 대중은 비합리적이고, 정보가 부족하며, 무엇보다 정치에 무관심하다는 점이 계속해서 주장되었고, 이러한 연구들은 민주주의에 대한 의지와 믿음을 약화시키고 민주주의의 정당성을 훼손하는 결과를 가져왔다. 이제는 민주주의가 인민의 판단과 선호에 반응하는 정치체제라는 이상적인 생각을 이제는 버려야 할 때이고, 비합리적이고 편향적이며 정체성에 기반해 선택을 하는 대중의 표를 위해 정치엘리트들이 경쟁하는 슘페터식 민주주의만이 남았다는 주장이다(Achen and Bartels 2016). 이와 같은 최소주의적 민주주의의 관점은 대중의 의사는 일관적이지 않기에 소위 일반의사(general will)라는 것은 존재하지 않으며, 전략적 투표(strategic voting)로 인해 선거는 대중의 선호를 진정으로 반영하지 않는다는 이론적·경험적 연구와 함께 기존의 민주주의에 대한 고전적인 편견을 강화해왔다(Riker 1982).

민주주의의 문제해결능력

인민의 지배(the rule of people)를 기반으로 하는 민주주의 체제의 결과가 비민주적 정치체제보다 우수하지 못하다면, 공동체의 의사결정방식으로서 민주적 절차에 대한 지지가 지속되지 않을 가능성이 있다. 왜냐하면 공정이나 평등과 같은 민주주의의 내재적 가치는 모든 구성원이 같은 확률로 결과에 영향을 미칠 수 있는 단순한 동전 던지기의 방식으로도 확보할 수 있기 때문이다(Landemore 2013). 민주주의의 도구적 정당성이 필요한 이유이고, 이는 현실적으로 민주주의가 우리 사회의 문제를 해결할 수 있다는 철학적 기반을 제공하기에 중요하다.

역사적으로도 민주주의의 도구적 정당성은 많은 학자에 의해 제기되었다. 가령 오버(Ober 2008)는 아테네(Athens)의 제도가 당시 시민들에게 퍼져 있는 지혜/지식을 모으는 능력이 뛰어났기 때문에 고대 아테네가 성공할 수 있었다고 역설했다. 아테네 민주주의는 각 부족(tribe)에서 추첨으로 50명씩 시민 대표를 선출해 500인회(the council of 500)를 구성했다. 오버(Ober 2008)에 따르면 500인회는 인지적으로 다양한 사람들이 모여 아젠다를 결정했으며, 매년 구성원이 새롭게 바뀌므로 다양한 지식과 경험을 가진 시민들이 지속해서 충원되어 새로운 정보와 관점을 모으는 역할을 했다. 다양한 선호와 생각이 집약(aggregation)되어 정보가 모이고, 논의를 통해 그 생각과 관점이 정렬(alignment)되는 조정(coordination) 과정이 작동했으며, 이것이 민주적 도시국가인 아테네가 당시 과두정(oligarchy)의 도시국가들에 비해 우수했던 이유다. 더불어 철학적으로도 민주주의의 도구적 정당성에 대해서 많은 언급이 존재한다.

가령 아리스토텔레스(Aristotle)가 축제(feast)의 예를 들어 설명한 다중의 지혜(the wisdom of multitude), 마키아벨리(Machiavelli)가 『로마사 논고(Discourse on Livy)』 58장에서 군주와 비교해 인민(people)이 진실이 어떤 것인지 판단하는 능력이 더 뛰어날 뿐만 아니라 인민은 군주보다 오판할 가능성이 작고 동시에 인민이 군주보다 잘못된 결정을 수정할 능력 면에서 앞선다고 주장한 것, 루소(Rousseau)의 『사회계약론(The Social Contract)』 등은 다수의 결정에서는 개인들의 오류가 상쇄되어 결과적으로 더 좋은 결정을 가져올 수 있음이 주장되었다(Schwartzberg 2015). 이러한 민주주의의 도구적 가치에 대한 논의들은 18세기 콩도르세를 통해 구체화되었는데, 콩도르세의 배심원 정리(Condorcet's Jury Theorem)는 다수의 결정이 우수하다는 점을 수학적으로 증명한 것으로 다수의 결정이 옳은 정답을 찾을 확률이 높음을 직관적으로 보여주고 있다(Cohen 1986). 콩도르세의 배심원 정리를 간단하게 소개하면 다음과 같다.

콩도르세의 배심원 정리는 다수의 결정이 진실을 찾을 확률이 매우 높음을 보여준 것으로 세 가지의 조건에서 시작한다. 그 조건들은 첫째 '참여자는 무작위(random)한 방법보다 진실이 무엇인지 파악할 수 있는 능력이 높다', 둘째 '참여자는 서로 독립적으로 판단한다', 셋째 '참여자는 전략적(strategic)이 아닌 진정투표(sincere voting)를 한다'는 것으로, 이러한 조건 아래 참여자의 다수가 정답을 찾을 확률을 생각해보면 다음과 같다. 가령 10명의 참여자가 있고, 각각 정답을 찾을 수 있는 확률이 51%라고 한다면, 다수인

6명은 단순한 조건부 확률에 따라 52%의 확률로 정답을 찾을 수 있다는 것이다. 만약 참여자의 수가 1,000명으로 늘어나면 501명이 다수이고, 이들의 선택이 정답일 확률은 73%로 증가한다.[1] 참여자의 수를 계속 증가시키면 다수가 정답을 제시할 확률도 계속 증가하는 것이다. 이러한 배심원 정리의 결과는 참여자의 수가 증가할수록 다수의 예측력이 향상되며, 개인의 정확성이 증가—가령 51%에서 52%로—할 때 다수가 정답을 예측할 확률 또한 증가함을 보여준다. 이러한 콩도르세의 배심원 정리는 단순다수결(plurality voting)일 때 그리고 개인이 선택할 수 있는 문항의 수가 다중선택(multiple choice)인 경우에도 그 결과는 동일한 것으로, 이는 집단적 선택의 결과가 전문가 개인의 결정보다 우월하다는 것을 보여준 것으로, 다수에 의한 의사결정에 결과적 정당성을 부여하고 있다(Goodin and List 2001).

콩도르세의 정리는 확률의 개념을 통해 다수결의 우수성과 집단지성의 가능성을 보여주었다는 점에서 혁신적이었다(Cohen 1986). 그러나 이후 많은 비판에 직면하기도 했는데, 가령 롤스(Rawls 1971)는 콩도르세의 현실적 적용의 문제를 제기하면서, 민주주의 의사결정과정에서 시민들의 선택은 독립적이지 않다는 점과 민주주의가 직면한 문제들은 정답이 없는 문제가 많다는 점을 지적했다. 이러한 비판에 대해 이후 콩도르세의 정리가 민주주의의 도구적 우

[1] 다수가 정답을 맞힐 조건부 확률은 $1/[1+((1-p)/p)^k]$ 이다. p는 참여자가 정답을 맞힐 확률, k는 다수의 수, n은 전체 참여자의 수다.

수성이 실현되기 위해서는 다양한 관점과 정보가 공유되어야 한다는 점을 강조한 것으로 재해석되었는데, 가령 콩도르세의 배심원 정리의 조건인 참여자(배심원)의 인식 및 결정의 독립성은 집단이 개인보다 옳은 판단을 내릴 확률을 높이기 위해서는 집단 내의 다양성이 담보되어야 한다는 것을 의미한다는 것이다. 즉 콩도르세의 정리는 단순히 참여자의 수적 증가를 말하고 있는 것이 아니라 구성원의 다양성을 전제로 한다는 점에서 인식적으로 다양한 집단의 우월성을 제시하고 있는 것으로 재해석되었다(Landemore 2013). 이러한 콩도르세의 배심원 정리와 같이 직접 민주주의적 요소를 강조하는 주장은 다수의 전제나 순응주의를 불러와 개인의 자유에 대한 억압으로 작용할 수 있다는 우려가 존재했음에도 불구하고, 20세기의 숙의 민주주의(deliberate democracy)를 통해 대의 민주주의에서 공동체의 이익과 목표가 무엇인지를 알기 위해서는 열린 숙의와 토의의 과정이 필수적이라는 점이 주창했다는 점에서 포용성과 다양성 증진을 통한 민주주의의 도구적 우월성에 대한 논의는 지속되어왔다.

민주주의 문제해결능력의 조건들: 다양성과 포용성

어떤 조건에서 민주주의의 도구적 우월성은 가능한 것인가? (1) 민주주의가 공동체를 위한 최선의 결과를 가져올 수 있게 하는 첫 번째 조건은 포용적 숙의(inclusive deliberation)의 과정이다. 숙의는 본질적으로 여러 가지 생각을 비교하고 논의하는 과정이다. 민주적 숙의과정의 우수성은 아리스토텔레스(Aristotle)부터 밀(J.S. Mill), 하버마스(Habermas)에 이르기까지 오랜 시간 주장되어온 민주주의의 요소다. 앞에서 언급한 아리스토텔레스의 축제(feast) 비유, 공론장에서 여러 다양한 관점이 제기되어야 오류를 극복할 수 있다는 콩도르세의 주장 등과 같이 민주주의가 등장한 이후 민주적 숙의의 중요성은 강조되었다. 민주적 숙의 과정이 비민주적 의사결정 과정보다 좋은 답을 찾을 수 있는 이유는 매우 직관적이다. 여러 가지 관점이 교환되고 논의되다 보면 모든 참여자에게 명확하게 더 좋은 주장이 나타날 수 있다는 것이다. 하버마스(Habermas 1996)는 이를 '강제되지 않은 더 좋은 주장의 힘'(unforced force of the better argument)으로 표현했는데, 숙의 과정에서는 더 좋은 주장, 해석, 정보의 식별이 가능해지고 참여자들 간의 상호작용을 통해 새로운 해결책이 도출될 수 있다는 것이다. 더불어 이러한 과정에서 참여자 개인은 다른 관점을 접함으로써 자기 생각을 다시 고려하게 되어, 결과적으로 숙의의 결정에 대한 모두의 동의가 가능하게 되는 기능이 있다는 것이다(Landemore 2020).

그렇다면 포용적 숙의가 더 좋은 결정을 가져오게 하는 메커니즘은 무엇인가? 숙의 과정은 현실적으로 비효율적으로 여겨질 뿐만 아니라 모두의 동의가 어려울 수 있다. 그러나 현실적으로 민주주의는 다수결(majority rule)을 통해 이러한 문제를 해결하는 기능이 있다. 숙의 과정을 통해 문제의 해결책들을 한정하고, 이렇게 한정된 선택지 중에서 다수결로 결정을 내려 집단으로서 최적의 선택을 할 가능성을 높일 수 있다(Landemore 2013). 이는 숙의의 효율성을 제고하는 공정한 방법일 뿐만 아니라 집단으로서 다중이 더 좋은 선택을 가능하게 한다. 여기서 다수가 참여하는 숙의가 집단에게 최적의 결정 또는 옳은 결정을 가져올 수 있게 하는 메커니즘은 바로 앞에서 언급된 콩도르세의 배심원 정리와 같은 논리다. 콩도르세의 배심원 정리는 사실 통계학의 '대수의 법칙'(Law of Large Numbers)의 원리와 같은 것으로, 즉 표본의 크기가 커질수록 표본의 평균이 모집단의 평균에 수렴하는 것으로, 직관적으로는 예측의 수가 많을수록 오류가 상쇄되어 평균이 정확해지는 것이다. 이러한 논리는 여론조사 해석에도 적용되었는데, 여론의 합리성(rationality of public opinion)이 가능한 이유가 특정 문제에 대해 일부 시민들은 과대평가를, 일부 시민들은 과소평가하기에 여론으로 집합되는 평균적 결과는 상당히 일관적이고, 안정적이어서 정치적 의미가 있다는 것이다(Page and Shapiro 1992).

민주주의의 문제해결능력을 위한 두 번째 조건은 다양성(diversity)이다. 숙의 과정이 더 좋은, 더 옳은 결정을 가져올 수 있게 하는 것은 숙의 과정에서 나오는 여러 가지 다양한 관점들이다. 서로 대립하는 주장 간의 상호작용, 다양한 직업, 배경, 경험들에 기반한 여러 관점의 상호작용이 소수에 의한 결정에서 나타날 수 있는 인지적, 경험적, 도덕적 한계를 극복하게 만드는 기제이기 때문이다. 페이지(Page 2007)는 숙의의 과정에 참여하는 시민들의 수의 증가와 함께 참여자의 인지적 다양성(cognitive diversity)의 증가가 가져오는 결과를 수학적으로 정리했는데, 페이지(Page 2007)의 테제는 소위 '다양성이 능력을 이긴다'(Diversity Trumps Ability)로 특정 조건 아래에서 가장 탁월한 개인들의 집합보다 무작위로 축출된 다양한 개인들의 집합이 문제해결능력 면에서 더 뛰어나다는 것이다. 탁월한 능력을 갖춘 한두 명의 개인보다 능력은 떨어지지만, 다양한 관점을 가진 여러 명의 그룹이 문제해결능력 면에서 더 뛰어나다는 것이다. 통념과 달리 특정 조직의 경쟁력이 꼭 그 구성원의 능력에 비례하는 것은 아니며, 기업, 학교, 사회 등 여러 층위에서 인지적 다양성을 가진 집단이 능력은 우수하나 유사한 관점을 가진 구성원으로 이루어진 집단보다 해당 조직이 직면한 문제를 해결하는 데 있어 뛰어나다고 주장했다(Page 2011). 여기서 인지적 다양성이란 다른 경험 및 정체성 등의 이유로 생긴 인식(cognition)의 차이와 문제를 해결하는 방식인 휴리스틱(heuristic)의 차이를 의미하는 것으로, 이러한 인지적 다양성이 높은 그룹이 유사한 인식과 휴리스틱을 가진 구성원들보다 혁신적인 대안을 찾는 데 우월하다는 것이다(Page 2007). 이러한 다양성(diversity)이 가져오는 결과는 예측력을 높이기 위해 다양한 예측을 한다고 생각해보면 직관적이다. 한 개인이 다양한 예측을 해 예측을 잘한 것과 유사한 메커니즘이고, 소수가 아닌 다양한 관점의 사람들이 존재하는 집단의 우수성을 보여주는 것이다. 그리고 중요한 점은 집단의 다수가 비슷한 예측을 하고 있다면 아무리 집단의 크기가 커져도 이러한 결과가 나타나지 않는다는 사실이다(Page 2007).[2] 경험적으로도 인류의 발전에 있어 문화적 교류 및 기술의 확산으로 인한 새로운 휴리스틱이 가져온 경제적 결과(Mokyr 2002), 그리고 최근 지속적으로 보고되고 있는 조직구성원의 다양성이 조직성과에 미치는 영향 (McKinsey & Company 2020)은 다양성(diversity)이라는 규범적 가치와 별도로 다양성 증가로 인한 결과 또한 긍정적임을 보여주고 있다.

민주주의가 직면한 문제를 해결하는 데 있어 다양성의 조건은 포용성의 조건이 가지는 한계를 보완한다. 포용성의 긍정적 역할을 증명하는 대수의 법칙과 콩도르세의 배심원 정리는 참여자의 수가 매우 커야 할 뿐만 아니라 각각의 개인이 무작위로 선택하는 방법(50%)보다 정답을 맞힐 확률이 높아야 한다는 이론적 한계가 있었다. 인지적 다양성(cognitive diversity)에 기반한 논리는 이 한계를 보완하는 것으로, 다중이 더 현명한 결정을 할 수 있는 원리를 참여자 숫자의 문제가 아닌 다양한 관점의 문제로 제시하고 있다는 점에서 그 의미가 있다(Page 2007). 인지적 다양성의 효과를 다른 식으로 표현하자면, 다양한 관점을 가진 사람들로 이루어진 집단의 경우, 오류는 대수의 법칙에서처럼 무작위로 상쇄되는 것이 아니라 체계적으로 상쇄되는 것이기에 집단의 평균적 오류가 개인의 평균적 오류보다 적을 수밖에 없다는 것이다. 집단의 크기가 커

---

2) 물론 참여자의 능력이 탁월하고 동시에 집단의 다양성이 확보되면 더 정확한 예측이 가능하다.

질수록 개인 간의 독립성이 커질 것이라는 확률적 주장이 아니라 인지적 다양성을 통해 개인 간 독립성이 자발적으로 보장될 수 있음을 의미한다. 즉 개인 간 차이를 내재화함으로써 콩도르세의 배심원 정리의 조건인 '참여자의 독립적 선택'과 같은 현실적 제약이 극복될 수 있다. 인지적 다양성은 인식과 휴리스틱의 차이로 개인이 자신의 결정에 도달하는 과정이 다름을 의미하기에, 참여자들 간의 정보공유, 상호영향 또한 개인 간의 독립성 조건을 충족시킨다고 할 수 있다(Landemore 2013).

개발(development)의 문제와 관련해, 소수의 전문가에 의한 통치 또는 전문가들에게 더 많은 발언권과 중요성을 부여하는 거버넌스(governance) 구조와 비교해 포용성과 다양성을 기반으로 하는 민주주의는 국민의 삶을 더 풍족하게 할 수 있는 것인가? 능력주의에 기반한 기술관료주의에 대한 옹호는 무엇보다도 현대사회가 직면한 도전의 복잡성(complexity)과 불확실성(uncertainty)을 같은 문제로 생각하고 있기에 설득력이 떨어진다. 복잡성과 불확실성은 관계가 있지만, 명확히 다른 문제다. 정치적 불확실성은 새롭게 등장한 문제로 인해 사회가 직면하는 인식론적 문제인 반면, 복잡성은 사회가 직면한 문제가 무엇인지 '인지'한 이후 그것을 해결하는 데 필요한 지식과 정보의 양과 성격에 대한 것이다. 세계화 시대에 증가한 불확실성이 정책 결정의 복잡성을 증가시킨 것은 틀림없으나, 정치적 결정은 급변하는 현실로 인한 불확실성에 속에서 방향성을 결정하는 것에 가깝다. 정치적, 경제적 불확실성이 지속되는 현대사회에서 미래를 예측하기 힘든 이유는 과거와 같은 패턴이 다시 등장하지 않을 가능성이 크기 때문이다. 결국 어떤 개인이나 소수의 그룹이 현명한 판단을 내릴 정보와 능력을 갖추고 있다고 단정하기 어렵다. 소수의 탁월한 개인들이 여러 가지 지식을 축적해도, 빠르게 변화하는 현실에서 그 축적된 데이터는 과거에 국한된 것일 수 있다. 즉 지식이 더욱 많은 개인에게 더 많은 발언권을 주는 방식의 사회적 알고리즘(algorism)이 정치적 평등의 방식보다 더 좋을 가능성이 작은 것이다(Schwartberg 2015). 또한 현대사회의 정치·경제적 전문성은 교육수준, 성장배경 등에 따라 편향적으로 분포되어 있고, 이들의 전문성이 상당히 협소한 분야에 한정된다는 점에서 더욱 그렇다. 그리고 역사적으로도 특정 지식을 우선시해 다른 지식을 등한시했던 왕국과 국가들이 경쟁에서 살아남지 못했다는 경제사적 주장은 이러한 다양성에 대한 강조를 뒷받침한다(Mokyr 2016).

물론 '왜 다양성과 포용성을 강조하는 민주주의는 현실에서 항상 결과적으로 탁월하지 않은가?'라는 질문을 할 수 있다. 아세모그루와 로빈슨(Acemoglu and Robinson 2012)은 이론적·경험적으로 포용적 민주주의가 경제성장에 있어 우월하다는 점을 제시하기도 했지만, 최근 많은 민주주의 국가들이 정치경제적 위기에 봉착한 것또한 사실이다. 앞에서 언급된 민주주의의 문제해결능력의 측면에서 위 질문에 대한 답은 위기에 직면한 민주주의 국가들이 더 민주주의적이지 않기 때문이고, 더 포용적이고 평등적이고 더 개방적인 민주주의가 되어야 한다는 것이다. 그리고 이러한 논의는 경제성장과 개발을 위해 다양성을 증진시키는 정책에 대한 정당성을 부여한다는 점에서 중요하다. 어떤 집단, 사회의 능력은 각각 개인의 능력이 아닌 집단의 인지적 다양성에 의존적이고, 포용성과 인지적 다양성이 확보된 민주적 거버넌스는 다른 정치체제보다 문제를 인식하고 해결책을 찾는 데 우월할 가능성이 높다(Page 2007; Landemore 2013). 불확실성을 그 특징으로 하는 현대사회의 문제해결능력을 높이려면 인지적 다양성의 확보는 중요하고, 포용적인 사회는 인지적 다양성이 높을 수밖에 없다는 점에서 개발과 성장을 위한 포용적인 민주주의의 강화는 필수적이다(Acemoglu and Robinson 2012)

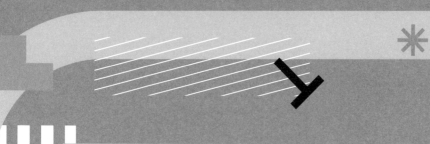

3장
국제사회의 대응:
왜 무엇을 어떻게 하고 있는가?

국제개발협력의
역사

　　식민지 발전법(the colonial development act)을 통해 식
민지에 대한 금융지원을 시행했던 영국의 정책은 20세기 국제개
발협력의 기원으로 평가받는다. 1929년 영국의 식민지 발전법은
당시 경제적 대공황(great recession)의 상황 속에서 식민지에 대한
지원을 통해 영국의 수출을 증가시켜 영국 산업 및 실업문제를 해
결하는 것이 목적이었다. 1929년의 대공황을 맞아 영국 노동당이
집권했고, 영국은 식민지 발전법을 통해 식민지에 대한 금융지원
을 시작했다. 식민지에 제공된 자원으로 영국의 물품을 구매하는
것이 발전법 내용의 중심이었으며, 식민지 발전법의 목적상 영국
에게 이익이 되지 않는 분야에 대한 지원은 적었다. 즉 공여국 이
익을 목적으로 하는 개발협력정책이었고, 이러한 영국의 개발협

력은 19세기부터 지속된 영국의 식민지 정책의 일환이었다고 평가할 수 있다. 영국은 19세기 이후 자신의 식민지도 영국의 책임이라는 인식 아래 식민지를 소위 저개발된 영토(under-developed estate), 즉 영국의 영토이나 아직 개발되지 않은 국유지로 인식했다. 이러한 영국의 사례에서 나타나듯이 20세기 초에 시작된 근대적 의미에서 개발협력정책은 제국주의적 시각에서 시작되었다. 식민지 개발은 본국에 대한 경기부양책의 일환으로 간주되었고, 식민지의 개발은 본국의 책임이자 '백인의 짐(the white man's burden)'이라는 방향으로 정당화되었다.

20세기의 국제개발협력은 식민지에 대한 지원으로 시작되었으나 제2차 세계대전 이후 큰 변화를 맞이했다. 제2차 세계대전 이후 미국의 주도 아래 제국주의적 관점이 아닌 새로운 관점의 개발협력정책이 시작되었다. 1949년 트루먼 대통령은 취임식에서 저개발국에 대한 미국원조의 방향성을 제시했다. 미국은 공산주의에 맞서기 위해 자신이 성취한 과학산업적 성과를 저발전 지역의 성장과 향상을 위해 사용할 것을 선언하면서, 미국의 국제개발협력의 목적이 보편적 인권의 보장이라는 점을 강조하기 시작했다. 그러나 당시 미국의 개발협력정책은 냉전시기의 미국 안보전략인 봉쇄정책(containment policy)의 틀에서 인도주의적 정당성을 제시한 것이었다. 개발협력의 방식 또한 기존의 양자적(bilateral) 원조방식에서 탈피해 국제기구를 통한 다자주의적(multilateral) 접근을 시도했으며 기술과 지식의 이전을 중심으로 하는 개발협력정책을 시작했다.

이렇듯 근대적 의미에서 국제개발협력은 영국과 같이 식민지 경제발전을 통해 본국의 이익을 도모하고자 하는 중상주의적 접근과 미국과 같이 국제개발협력을 외교정책의 일부로서 간주해서 인도주의적 정당성을 기반으로 미국의 안보 전략적 이익을 고려한 현실주의적 접근으로 시작되었다. 그러나 이러한 두 접근방식은 1950년대부터 비판에 직면했고, 국제개발협력의 도구화를 탈피하고자 하는 노력이 시작되었다. 국제개발협력의 탈도구화는 공적원조의 다자화를 중심으로 진행되었는데, 다자주의적 접근은 개발협력정책이 본질적으로 국내 정치적 지지가 약하다는 점, 그리고 국제기구에게 국제개발협력을 위임함으로써 국가의 전략적, 경제적 관점에서 탈피할 수 있다는 측면에서 국제개발협력의 본연의 목적이라고 할 수 있는 수원국 개발에 집중할 수 있는 장점이 있었다. 추후 국제기구를 통한 다자주의적 접근은 국제연합(United Nation)을 중심으로 새천년개발목표(MDG: Millennium Development Goals)와 지속 가능한 개발목표(SDGs: Sustainable Development Goals)라는 국제개발협력의 의제가 설정되는 방향으로 진행되었고, 현재 21세기의 국제개발협력은 국제연합(UN)의 지속 가능한 개발(SDGs)이라는 의제를 기반으로 국가별 개발협력정책이 진행되고 있다.

그러나 1970년 이후 본격적으로 증가한 다자주의적 접근은 1990년대에 그 비중이 감소했는데, 그 이유는 국제연합과 같은 국제기구의 운영이 비효율적이라는 비판과 동시에 국제개발협력의 효과성에 대한 비판이 제기되었기 때문이다. 무엇보다도 '사마리

개발과 원조의 정치경제

아인의 딜레마(Samaritan's Dilemma)'라고 표현되는 저개발국가의 상황이 논쟁의 핵심으로 등장했다.

국제개발협력과 사마리아인의 딜레마

		수원국	
		개발 노력	노력 없음
공여기관 (국제기구)	개발 지원	4.3	**3.4**
	지원 없음	2.2	1.1

위의 표는 국제개발협력에 있어 사마리아인의 딜레마 상황을 보여주고 있다. 표는 다음과 같은 상황을 가정한다. 국가들의 지원과 위임 아래 국제기구는 수원국이 스스로 빈곤을 탈피하기 위해 노력을 하든, 하지 않든 원조를 제공한다. 그런데 수원국은 공여 기관인 국제기구가 '사마리아인'임을 알고 있기에 자신의 빈곤퇴치를 위해 노력하지 않을 가능성이 높다는 것이다. 즉 국제개발협력의 목표를 달성하기 위해서는 국제기구가 개발을 위한 지원을 하고 동시에 수원국도 빈곤탈피를 위해 노력하는 것이 최상의 상황이지만, 현실은 원조는 계속 지원되지만, 수원국은 개발을 위한 노력을 하지 않는 상황이 결과적으로 나타난다는 것이다. 국제개발협력에 대해 회의적인 관점에서 이러한 상황은 국제기구와 수원국의 책무성(accountablity)과 관련이 있다. 국제기구는 회원국의 자원을 효율적으로 사용할 유인이 없을 뿐만 아니라 수원국은 자신

이 계속 저개발상태이면 지속해서 원조받을 수 있는 상황에서, 결국 이러한 다자주의적 국제개발협력은 그 목적을 달성하지 못하고 자원만 낭비하고 있다는 비판이다. 이것이 바로 국제개발협력의 효과성 논쟁의 내용이다. 국제개발협력의 효과성 논쟁은 저개발국가에 대한 교육, 보건, 의료, 경제 등에 대한 대규모 지원을 통해 저개발국가가 성장의 선순환 상황에 진입할 수 있게 도와주어야 한다는 주장(Sachs 2005)과 저개발국가가 스스로 시장경제적 해법을 통해 자발적 성장이 가능하도록 도와주어야 한다는 주장(Easterly 2006) 간의 논쟁으로 진행되었고, 이러한 효과성 논쟁을 통해 2000년대 이후 국제개발협력은 거시적 담론이 아닌 증거중심적이고 미시적인 접근으로 변모했다.

국제개발협력의 변천

1940년대
- 미국 주도의 전략적 개발원조. 봉쇄정책의 일환.
- UN 창설. 국제기구의 초창기.
- 개발에 대한 접근: **케인지언적 접근**. 수입대체산업화, 공업화/산업화 강조.

1960년대
- UN의 역할 확대. OECD DAC(development assistance committee) 창설.
- 인도주의적 접근, 기본적 필요, 환경에 관심., 개발의 개념 확장, 다자주의.
- 종속이론의 유행.

1980년대
- IMF 와 World Bank의 부상. **신자유주의적 접근** (Washington consensus)
- 경제불황의 시기.
- 자유시장원칙, 신보수주의의 대두.

1990년대 이후
- NGO, 시민사회의 역할 확대.
- 인권, 빈곤에 대한 논의 부활, 민주주의, 거버넌스에 대한 논의
- 아시아 금융위기, **원조 효과성 논쟁,**

개발과 원조의 정치경제

1940년대 본격적으로 시작된 국제개발협력은 미국 마샬프랜(Marshall Plan)의 성공과 산업화 중심의 원조에 대한 믿음을 토대로 진행되었다. 그러나 이후 미국경제의 위기, 베트남 전쟁, 브레튼 우즈체제의 붕괴, 그리고 국제기구의 의사결정과정에서 신생 독립국들의 영향력 확대로 인해 19세기 제국주의 식민지 경영에 대한 성찰을 기반으로 국제개발협력에 대한 인도주의적, 다자주의적 접근이 대두했다. 1980년대 세계경제는 워싱턴합의(Washington consensus)를 기반으로 하는 신자유주의가 주도했고, 이는 국제개발협력정책에도 반영되어 민영화, 탈규제, 구조조정 등을 동반하는 개혁프로그램이 저개발국가를 대상으로 유도되었다. 1990년대 이후 탈냉전시대를 맞이해 외교 정책적 측면에서 국제개발협력정책의 중요성이 떨어졌고, 이는 빈곤국에 대한 원조가 급격히 감소하는 결과를 가져왔다. 그러나 빈곤국의 상황이 더욱 심각해짐에 따라 다시 빈곤문제에 대한 국제적 논쟁이 활성화되었다. 이 과정에서 비정부기구(NGO)의 활동이 활성되며 국제개발협력에 있어 시민사회의 역할이 증대되었다. 이후 현재까지 새천년개발목표(MDGs), 지속 가능한 개발목표(SDGs)와 같은 국제규범을 기반으로 국제연합(UN)과 경제협력개발기구(OECD) 중심의 국제개발협력이 진행되고 있다.

제2차 세계대전 이후 국제개발협력 레짐은 다음과 같은 몇 가지 특징이 있다. 무엇보다도 국제개발협력의 역사는 공여국 주도의 역사로서 수원국이 배제된 상태에서 진행되었다는 점이다. 공여국

의 정책, 관점, 여론이 국제개발협력에 많은 영향을 미쳤고, 국제
개발협력에 관한 논의의 초점이 수원국의 효과적인 원조사용이 아
닌 공여국의 원조효과성에 있었다. 국제개발협력이 공여국의 예산
을 사용하는 점에서 당연한 결과일 수는 있으나, 최근 수원국의 주
인의식이 강조되는 추세로 변화하고 있다. 더불어 공여국 이익 중
심의 관점에서 수원국의 지속 가능한 개발에 대한 관심으로 변화
하고 있다. 마지막으로 국제개발협력에 참여하는 국가들의 구성이
기존 서구국가 및 선진국 중심에서 중국, 인도, 브라질과 같은 비
서구 국가 및 한국과 같은 신흥선진국의 참여가 증가하고 있는 것
이 특징이다.

국제개발협력의 다양성

국제기구를 중심으로 하는 다자주의적 국제개발협력이 핵심적인 역할을 하고 있음에도 국가별 개발협력정책은 상당한 관점의 차이가 존재한다. 현재 구분되는 국제개발협력 모델을 소개하면 다음과 같다.

북유럽식 모델

노르웨이, 스웨덴, 덴마크 등의 작지만 부유한 북유럽 국가들의 경우, 전통적인 공여국인 미국 및 영국과 차별화되는 방식으로 국제개발협력을 진행하고 있다. 이들 국가는 인도주의적 접근을 강조하며, 국제개발협력예산의 약 20% 이상을 자국의 시민사회를 통해 집행하고 있다. 기존 강대국이 외교 정책적 관점에서 국제개발협력을 수행한 것과 차별적이고 국제개발협력 예산 또한 자국의 경제규모에 비해 높은 수준을 유지하고 있다. 현재 GNI(gloss national income) 대비 1% 이상 국제개발협력에 지출하는 국가는 모두 북유럽 국가들이다. 흥미로운 결과는 북유럽 국가들이 인도주의적 관점에서 국제개발협력에 접근하고 있지만, 역설적으로 연성권력(soft power)이 강화되어 비안보적 분야의 강대국으로 인식되고 있다.

미국식 모델

미국은 절대적 규모에서 세계 최대 공여국이다. 미국의 국제개발협력은 외교정책과의 연계가 강해 정책의 내용에 있어 안보전략적, 정치안보적 요인이 중요하게 작용한다. 공적원조를 포함한 국제개발협력은 공여국의 국력, 안보를 강화하는 도구이기에 미국 안보에 중요한 국가들에게 더 많은 공적원조를 제공한다. 물론 미국 또한 최근 인도주의적 접근을 수용했으나, 이러한 인도주의적 목적 또한 외교안보적 정당화를 통해 진행되고 있다. 개발협력의 외교·안보적 특성상 미국의 공적원조의 집행 또한 많은 부분 국방부가 담당하고 있는 것이 현실이다.

일본식 모델

제2차 세계대전 이후 일본은 미국의 원조 수원국이었다. 제2차 세계대전에 대한 전후처리 과정에서 배상 문제 해결에 공적원조를 적극적으로 이용했고, 특히 아시아태평양 국가들에 대한 배상문제에 있어 공적원조와 경제협력을 이용하면서 국제개발협력의 주요 공여국으로 등장했다. 일본의 국제개발협력은 1960년대 이후 중상주의적 관점에서 진행되었다. 일본은 수원국의 정치 상황과 무관하게 공적원조를 제공했고, 이는 일본기업의 수출과 원자재 공급을 위한 상업적 목적에 기반한 국제개발협력이었다. 일본의 국제개발협력이 중상주의적 관점에 기반한 것이었기에 국제개발협력의 대상도 경제관계가 긴밀한 동남아시아 국가를 중심으로 이어졌고, 1980년대 중국과의 관계정상화 이후에는 일본기업의 중국시장 진출을 위해 중국에 대한 대규모 경제협력 차관을 제공했다. 일본의 공적원조는 기본적으로 엔차관, 즉 유상원조 중심이었고 원조의 내용도 교육, 의료 등의 사회 인프라와 관련된 것이 아닌 운송, 통신, 에너지시설 등 경제기반시설에 집중되어 있다. 1990년대 이후 일본의 국제개발협력은 변화했는데, 탈냉전 시기의 일본의 국제정치적 위상정립이라는 목적 아래 기존의 중상주의적 접근에서 '인간안보'라는 의제를 중심으로 국제개발협력을 시행했다. 당시 국제사회에서 '인간안보'라는 규범을 주도했을 뿐만 아니라 국제엽합(UN)에서 인간안보기금 설립을 제안하기도 했다. 이는 기존 아시아 중심, 상업적 목적 중심의 국제개발협력에서 보편주의적 국제개발협력으로의 변화를 시도한 것이었다. 그러나 2000년대 이후 일본의 장기불황으로 인해 국제개발협력 예산이 감소했고, 동시에 여론의 악화 등으로 현재 일본의 국제개발협력은 냉전시기의 상업주의적 형태로 회귀했다고 평가된다.

중국의 부상

중국의 국제개발협력은 최근 대규모의 일대일로(一帶一路 · One Belt One Road)정책으로 인해 세계적인 주목을 받고 있다. 그러나 중국의 국제개발협력은 사실 1950년대부터 시작되었다. 1950년대의 중국의 국제개발협력은 사회주의 이념에 기반한 국제원조이었고, 제3세계 민족해방운동을 지지한다는 관점에서 진행되었다. 물론 당시 원조의 규모는 크지 않았지만, 중국은 주변 사회주의 국가들에게 공적원조를 제공했을 뿐만 아니라 아프리카 국가들에 대한 원조도 집행했다. 당시 중국에게 제3세계 국가와의 외교적 관계는 중요했고, 제3세계국가에서 사회주의 이념을 공고화한다는 정당성에 기반한 국제개발협력이었다. 흥미로운 사실은 1960년대 중국은 경제적 어려움에도 불구하고, 이념적, 외교적 관점에서 국개발협력을 진행했을 뿐만 아니라 1970년대 초반 중국의 국제개발협력 예산의 비중이 정부지출에서 약 6%에 이르는 경우도 있었다. 그러나 1978년 실용노선의 덩샤오핑의 집권으로 중국의 국제개발협력은 급격하게 축소되었고, 이후 1990년대까지 중국의 국제개발협력은 이념 중심이 아닌 경제적 이익을 중심으로 변화했다. 사회주의 국가들에 대한 무분별한 원조는 중단되었고, 중국의 은행들이 차관을 제공하는 형태로 변경되었다. 2010년대 이후 시진핑 주석의 중국은 대규모 개발사업인 일대일로(一帶一路 · One Belt One Road) 사업을 적극적으로 추진하고 있다. 중국의 국제개발협력은 국제연합(UN)과 경제협력개발기구(OECD) 주도의 국제개발협력과 몇 가지 차이점이 존재한다. 중국은 저개발국가의 주권과 자율성을 존중한다는 관점에서 민주주의 확산, 거버넌스 구조의 개선 등의 제도적 변화에 반대하고 있다. 그리고 수원국의 빈곤상황보다는 중국과의 경제관계 및 우호증진의 수단으로 국제개발협력 정책을 수행하고 있다. 현재 전체 공적원조의 약 45%를 아프리카 국가에 제공하고 있으며, 대부분의 공적원조는 천연자원의 개발과 연계되어 있는 것이 특징이다.

한국의 국제개발협력

한국은 한국전쟁 직후 원조 수혜국으로 1인당 국민총소득이 67 달러이었던 최빈국이 원조 공여국으로 성장한 첫 번째 국가라는 자부심을 기반으로 최근 국제개발협력을 적극적으로 홍보하고 있다. 한국은 2010년 경제협력개발기구(OECD) 산하 개발원조위원회(DAC) 가입 이후 국제개발원조의 규모를 지속적으로 확대해, 현재 국민총소득(GNI)의 약 0.15%를 국제개발협력에 투입하고 있다. 그러나 한국의 경우, 국제개발협력을 시행한 역사가 길지 않고 국제개발협력 예산규모 또한 경제개발협력기구(OECD) 회원국 중 가장 작은 국가에 속하는 것이 현실이다. 그럼에도 불구하고 한국의 국제개발협력 정책을 담당하는 한국국제협력단(KOICA)의 규모는 지속적으로 성장하고 있고, 현재 50개국 이상에 수많은 인력을 파견해 사업을 진행하고 있다. 국제개발협력의 역사가 길지 않기 때문에 한국의 국제개발협력의 특징을 평가하기는 어렵지만, 한국의 국제개발협력의 법적 기반인 국제개발협력기본법에 다음과 같은 방향성을 설정하고 있다는 점에서 한국의 국제개발협력은 한국에 대한 대외인식의 개선과 한국기업의 상업적 이익에 도움이 되는 방향으로 정책을 시행하고자 함을 알 수 있다.

"…협력 대상국과의 경제협력 관계를 증진해……우리 기업 및 전문가들이 국제 원조시장에 보다 활발하게 진출할 수 있는 기반을 강화…새롭게 형성되고 있는 국제원조시장에서 공정한 경쟁자로서의 평판을 확보하고…." (대한민국 국제개발협력기본법)

국제개발협력의
결정요인들

　　왜 어떤 국가가 국제개발협력 및 공적원조에 더 우호적인가? 제2차 세계대전 이후 공적개발원조(ODA: official development assistance)는 선진국들의 주요 정책의 일환으로서 저개발국가의 정치·경제적 개발에 있어 핵심 자원으로 자리매김했다. 전 세계적으로 1960년 이후 4조 달러 이상이 해외원조라는 명목으로 지출되었으며, 그 규모는 지속적으로 증가하고 있는 추세다. 한국 또한 2009년 경제협력개발기구(OECD) 산하 개발원조위원회(DAC)의 24번째 회원국으로 가입을 한 후, 공공외교라는 큰 틀에서 한국이 해외원조 수원국에서 순수 공여국으로 발전했다는 점을 대대적으로 홍보하는 동시에 해외원조를 포함한 공공외교에 대한 적지 않은 예산을 투입하고 있다. 국제연합(UN)과 같은 국제기구 또한 '새천년개발목표(Millennium Development Goals)'과 '지속 가능발전목표(Sustainable Development Goals)'와 같은 공격적인 어젠다 설정을 통해 빈곤퇴치와 개발문제에 있어 해외원조의 중요성과 그 규모의 확대를 강조하고 있다. 그러나 국제적 수준에서 빈곤퇴치와 개발에 대한 관심이 확대되어가고 있음에도 불구하고, 국가 수준에서는 해외원조는 항상 논쟁적이었고 그 효과성에 대한 논쟁은 현재에도 지속되고 있다. 규범적인 측면에서는 자국의 빈곤 문제도 아닌 타국의 빈곤 문제에 왜 세금을 지출해야 하는지에 대한 논쟁(Chatterjee 2004)이, 실질적인 측면에서는 지난 50년간의 해외원조가 저개발국가의 빈곤퇴치와 경제성장에 긍정적인 영향이 아닌 오히려 수원국의 지배층만을 부유하게 해서 경제 불평등을 더욱 심화시키고 지대추구적인 권위주의 체제를 공고화해 수원국을 저개발의 늪으로 더욱 몰아가고 있다는 주장이 전개되고 있다(Moyo 2009). 이러한 해외원조에 대한 논쟁들을 반영하듯이 국가별 원조의 지출은 상당한 차이가 존재한다.

공적원조와 국제개발협력의 규모와 방식의 차이에 대한 논의를 위해 우선 다음과 같은 빈곤의 덫(poverty trap) 상황을 상정해보자. 다음 표의 상황은 이렇다. 공적개발원조와 같은 해외의 도움이 없이 빈곤국이 개발을 추진하기 위해서는 해외자본을 유치해서 자본 축적을 해야 하는 상황이라고 가정하자. 그리고 저개발국가에 대한 해외기업의 투자는 다른 많은 해외기업이 동시에 같이 투자한다면 기업활동에 필요한 공공시설 건설을 위한 비용을 분산할 수 있기에 경제적 수익이 가능하지만, 단일 기업만이 투자하면 비용의 문제로 경제적 이익이 없다고 가정하자. 이러한 상황은 두 개의 가능한 현실을 제시한다. 모든 기업이 투자하거나 모두가 투자하지 않는 상황으로 일반적으로 빈곤국은 후자의 상황에 해당한다. 저개발국가의 경우, 투자 환경이 열악하기에 해외에서 자본을 유치하기가 어렵고 결국 자본유치를 못하기에 개발에 필요한 공공재를 생산할 능력이 없는 상황에 직면한다. 가난의 덫(poverty trap) 상황에 빠지며, 이는 개발을 못 하는 이유가 가난해서 못하는 상황이 되어버리는 것이다.

빈곤의 덫(poverty trap) 상황

		해외기업 2	
		투자	투자하지 않음
해외기업 2	투자	4, 4	-1, 0
	투자하지 않음	0, -1	0, 0

공적원조를 포함한 국제개발협력은 이러한 상황에서 대규모 지원을 통해 사적 투자자들, 특히 해외기업이 투자할 유인을 제공해 저개발국가들이 선순환의 구조를 가질 수 있도록 도와주는 것으로 이해될 수 있다(Sachs 2005). 그런데 문제는 대규모 원조를 지원받은 수원국들이 다른 저개발국가들보다 빠르게 빈곤에서 벗어나지 못하고 있다는 현실이다. 이러한 현실은 가난의 덫(poverty trap)

에 걸린 듯한 국가의 상황이 앞의 표와 같은 해외투자의 조정문제 (coordination problem) 또는 경제적 이유 때문이 아닐 가능성이 제기 되었고(Acemoglu & Robinson 2012), 이는 공적원조를 포함한 국제개 발협력의 효과성에 대한 회의적 인식을 증폭시켰다(Easterly 2006). 그렇다면 여기서 중요한 의문점은 왜 이렇게 실제 효과적이지도 않은 공적개발원조를 선진국들은 지속하는지에 대한 이유다. 국가 가 국제개발협력 및 공적원조을 하는 이유는 무엇인가? 국가별 차 이는 어떻게 설명될 수 있는가?

공적개발원조의 수준 (% GNI, 2022년, OECD 회원국)

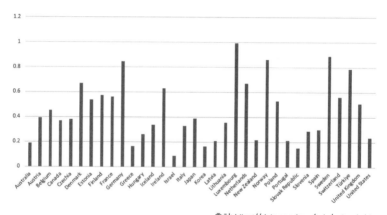

출처: https://data.oecd.org/oda/net-oda.htm

개발과 원조의 정치경제

외교정책으로서 국제개발협력

공적개발원조를 포함한 국제개발협력은 공여국의 의도와 상관없이 공여국과 수원국의 권력관계에 영향이 미칠 수밖에 없는 정치적 행위라는 측면에서 국제개발협력을 인도주의적 관점이 아닌 외교정책의 관점에서 살펴볼 수 있다. 이러한 시각에서 모겐소 (Morgenthau 1962)는 국제개발협력은 항상 정치적이며 국제정치적 문제이기에 정책의 계획 및 집행에 있어 경제관료가 아닌 정치인 또는 외교관이 담당해야 한다는 주장을 펼치기도 했다.

외교정책의 관점에서 공여국과 수원국의 관계는 다음과 같이 설명될 수 있다. 국제개발협력을 외교정책의 일환으로 상정하고 다음의 상황을 살펴보자. 외교협상의 과정에서 공여국 정부는 수원국에게 공적개발원조를 제공하고 일종의 정책적 양보를 요구할 수 있다. 현실에서는 미국이 이집트에 공적개발원조를 제공하고 대신 이스라엘과의 관계 개선을 요구하는 것, 북한에 공적개발원조를 제공하고 핵개발의 포기를 요구하는 것 등이 포함될 수 있다. 그렇다면 이러한 공적원조와 정책적 양보의 교환은 어떤 경우에 가능한 것인가를 살펴볼 수 있다. 우선 공여국의 입장을 살펴보면, 공여국 정부에게 공적개발원조에 투입되는 자원은, 가령 공적개발원조의 예산을 다른 정책에 투입할 수 있기에 그 사용의 기회비용이 존재한다. 공여국 정부에게 공적개발원조가 가져오는 정치적 효용은 원조를 통해 수원국으로부터 우호적인 외교/경제정책을 끌어

내어 공적개발원조의 결과가 자국민에게 일종의 공공재로서 역할을 하는 것이라고 할 수 있다. 그리고 공여국 정부로서는 공적개발원조를 통해 얻는 외교적 성과는 공공재적 성격이 크기에 자신의 정치적 지지기반(winning coalition)이 클수록 공공재적인 외교적 성과의 정치적 가치는 크다. 즉 공여국 정부에게는 자신의 정치적 지지기반이 클수록 공공재적 이익이 큰 공적개발원조는 매력적인 정치적 수단일 수 있고, 동시에 수원국으로부터 얻는 정책적 양도의 비용이 작을수록 바람직하다고 할 수 있다. 반면 수원국 입장에서는 공여국이 공적개발원조의 대가로서 요구하는 것의 정치적 비용이 작을수록 공여국의 요구를 수용할 가능성이 높다. 그리고 공여국에 대한 정책적 양보로 인한 정치적 비용은 수원국 정부의 정치적 지지기반이 작을수록 작을 것으로 생각할 수 있다. 결국 외교정책적 관점에서 공여국과 수원국 간의 정치적 협상의 결과인 공적개발원조의 크기는 수원국 정부의 정치적 지지기반의 크기에 따라 결정될 것으로 이해될 수 있다.

이러한 외교협상의 틀에서 바라본 공적개발원조는 누구에게 어떠한 방식으로 제공될 것인가? 다음과 같은 함의를 제시할 수 있다. 첫째, 공여국은 공적개발원조의 대상으로 저렴한 비용으로 정책적 양보를 얻을 수 있는 수원국, 즉 정치적 지지기반이 작기에 정책적 양보의 비용이 작은 수원국을 선택할 가능성이 높다. 현실에서 비민주주의 국가의 정부는 상대적으로 민주주의 국가의 정부보다 정치적 지지기반의 크기가 작기에, 비민주주의 국가는 수원

개발과 원조의 정치경제

국으로서 공적개발원조를 받을 가능성이 높다. 둘째, 공여국의 입장에서 공적개발원조를 제공함에 따라 얻는 정치적 효용은 자신의 정치적 지지기반이 클수록 크기에, 현실적으로 민주주의 정부가 비민주주의 정부보다 공적개발원조를 제공할 가능성이 높다고 할 수 있다. 즉 민주주의 국가는 공적개발원조를 제공할 가능성이 높고, 반면 비민주주의 국가는 공적개발원조를 받을 가능성이 높다는 것이다. 흥미로운 점은 이러한 이론적 함의가 공적개발원조는 왜 많은 경우 실패하는 것인지, 그리고 왜 개발에 효과적이지 않은 공적개발원조가 지속되는지에 대한 설명을 제시한다는 점이다. 공적개발원조를 포함한 국제개발협력을 국가 간 정치적 결과라고 한다면, 공적원조는 주로 비민주주의 국가에 제공될 가능성이 높고, 제공된 공적개발원조는 개발을 위해 사용되는 것이 아니라 권위주의 정권의 생존을 위해 사용될 가능성이 높다. 결과적으로 공여국 정부와 수원국 정부는 정치적 이익을 얻지만, 수원국 국민에게 돌아가는 이익은 없는 결과가 발생한다. 외교정책적 측면에서 권위주의 국가로의 원조는 원조의 효과성이 목적이 아닌 외교정책의 수단이기 때문에 수원국 상황은 중요하지 않다. 결과적으로 권위주의적 저개발국가의 상황은 더 악화될 가능성이 높을 뿐만 아니라, 민주주의적인 저개발국가는 공적원조를 받지 못할 가능성이 높다는 것이다(de Mesquita and Smith 2009). 이러한 국제개발협력은 공여국에게는 외교적 성과일 수 있으나 국제개발협력의 실패이고 왜 공적개발원조는 많은 경우 효과가 없는지에 대한 설명이다. 그리고 이러한 설명은 공적개발원조 및 국제개발협력의 방식과 내용에 따라 공여국의 정치적 영향력은 차이가 있을 수 있으나, 외교정책적 관점에서 진행되는 공적개발원조와 국제개발협력이 인도주의적 목적을 달성할 수 있다고 생각하는 것은 착각이라는 모겐소(Morgenthau 1962)의 주장이 아직까지 설득력 있게 다가오는 이유다.

국내정치와 국제개발협력

국가 간 공적개발원조 및 국제개발협력의 차이를 설명하는 데 있어 외교정책적 관점은 강대국 위주의 접근이라는 점에서 그 한계가 있다. 이번 장에서는 공적개발원조 및 국제개발협력에 대한 다양한 국내 정치적 요인을 살펴본다.

국내복지정책과 국제개발협력

공적개발원조가 국제적 복지정책의 성격이 있다는 점에서 국내적 복지정책의 성격이 국제개발협력에 투사될 가능성이 존재한다. 국내 복지정책은 기본적으로 그 사회의 분배적 정의에 대한 논의의 정치적 결과라고 할 수 있고, 대외적 복지정책인 국제개발협력 및 공적개발원조 또한 국내적 분배에 대한 담론이 적용될 가능성이 있다. 복지국가(welfare state)는 일반적으로 세 가지의 유형으로 분류할 수 있다(Esping-Andersen 1990). 첫 번째 유형은 보수적 복지국가(conservative welfare state)로서, 이러한 유형에 속하는 국가의 복지정책은 정치적 타협의 산물이고 자본주의 발전으로 인한 노동의 불만에 대한 대응으로 복지국가가 시작된 경우다. 국내 복지정책은 기존 질서유지를 위한 일종의 회유 수단으로 시작되었기에 분배적 정의를 위한 정책이 아닌 현상유지 정책의 성격을 가지는 경우다. 두 번째 유형은 자유주의적 복지국가(liberal welfare state)로 미국식 복지정책을 의미한다. 이러한 유형의 국가는 정부개입은 시장에 대한 보완이고 시장실패에 대한 대응은 아니다. 즉 복지국가는 개인에 대한 보험의 성격을 가지고 있고, 기본적으로 재분배정책에 회의적인 경우에 속한다. 세 번째 유형은 사회민주적 복지국가(social democratic welfare state)로 대부분의 북유럽 국가가 해당된다. 이 유형의 속하는 복지국가에서 복지정책은 진보적이며 시장에 대한 개입에 적극적인 경우다. 특히 복지정책은 빈곤층이라는 특정집단에 대한 정책이 아니고, 모든 국민의 민주적 권리이며 인권을 위한 정책인 경우다.

이러한 국내 복지국가의 성격이 대외적으로 투사되어 국가의 공적개발원조 및 국제개발협력정책의 성격에 영향을 미친다면 어떠한 모습을 가질 것인가? 무엇보다도 사회민주적 복지국가의 경우가 공적개발원조 및 국제개발협력의 규모도 크고, 국내적 복지지출과 연관성도 높을 것으로 예상할 수 있다. 반면 자유주의적 복지국가의 경우, 국내복지의 규모도 작을 뿐만 아니라 대외적인 국제개발협력의 규모도 작을 것으로 추측할 수 있다. 마지막으로 보수적 복지국가의 경우, 국내 복지정책이 정치적 산물이기에 국내 복지국가와 국제개발협력정책의 관계는 모호하고 견고하지 않을 것으로 예상할 수 있다(Noel & Therien 1995). 이러한 접근은 국내 복지정책과 대외적인 국제개발협력정책이 유사한 사회적 가치에서 나온 것이라는 점에서, 그리고 경험적으로 사회민주적 복지국가의 국가들이 더 많은 공적개발원조와 국제개발협력에 참여하고 있다는 점에서 설득력이 있다. 다만 최근 빠르게 변화하는 세계경제에 따라 국내 복지국가의 성격도 변화하고 있다는 점에서 복지국가의 성격이 변함에 따른 국제개발협력정책의 변화를 추가적으로 살펴볼 필요가 있다.

정부당파성과 국제개발협력

정부당파성(government partisanship)은 공적개발원조와 국제개발협력정책에 영향이 있는가? 공적개발원조와 국제개발협력이 국제적 재분배정책의 성격이 있기에 일반적으로 좌파정당(left-wing party)이 국제개발협력에 더 적극적일 것으로 인식되고 있다. 우파정당(right-wing party)에 비해 좌파정당이 국내정치에서 재분배정책을 선호하고 이러한 특성이 국제개발협력 및 공적개발원조에 긍정적으로 투사할 가능성이 있다는 것이다. 경험적으로 이러한 좌파정당과 국제개발협력의 관계는 최소한 1990년대까지는 유효한

개발과 원조의 정치경제

것으로 보고되고 있다(Therien and Noel 2000).

　그러나 지난 30년간 지속된 세계화와 기술변화로 등장한 지식경제(knowledge economy) 또는 서비스경제(service economy)에서 기존의 정당들은 새로운 딜레마에 직면했다. 특히 사회민주당(social democratic parties)으로 대표되는 좌파정당의 경우, 아이버슨과 렌(Iversen and Wren 1998)의 표현에 따르면, 서비스경제의 트릴레마(trilemma of the service economy)에 직면했다. 소득불평등 완화정책과 고용수준을 유지하기 위한 실업정책을 이행할 수 있으나 재정건정성(fiscal discipline)을 동시에 유지하는 것이 불가능한 상황이 되었고, 더불어 세계화로 인한 국제적 자본이동성의 증가로 인해 기존 조합주의적 제도의 기능이 많이 쇠퇴했다(Pierson 2011). 이러한 상황은 기존의 복지국가를 유지하기 위한 국가의 정책적 능력(state capacity)을 약화시키는 결과를 가져왔을 뿐만 아니라, 루에다(Rueda 2007)가 주장했듯이 노동시장의 이중화를 가속시켜 좌파정당에게 어려운 선택을 강요하게 하는 상황을 만들었다. 정규직으로 대표되는 노동시장 내부자들의 경우 고용보장과 소득세 인하를 선호하지만, 비정규직으로 대표되는 외부자들의 경우 소득분배 및 사회보장정책를 선호하게 되어 노동내부의 갈등이 발생했고(Iversen and Soskice 2015), 전통적인 좌파정당은 핵심지지층인 내부자 중심의 정책을 이행하는 내부자 편향성을, 반면에 외부자의 경우 사회보장정책의 대대적인 확장을 지지하는 새로운 정당, 가령 독일의 녹색당(Green Party)등을 지지하게 되어 전통적인 좌파정당의 정치적 지지기반에 균열구조의 변화가 생겨났다(Rueda 2007; Marx and Picot 2013; Marx 2014). 전통적인 좌파정당의 입장에서는 외부자들을 포용해야 하는 정치적 상황이 발생하지 않는 한, 전통적으로 조직노동과의 조직적, 이념적 연계를 갖기 때문에 내부자의 선호를 충실히 반영한 정책을 추진할 수밖에 없고, 결국 서비스경제로 표현되는 변화된 정치·경제적 환경에서 노동유연성과 정규직의 고용보장을 동시에 충족시키고자 하는 정책을 이행해 내부자와 외부자 간의 노동유연성과 안정성의 심각한 불평등을 증가시켜 노동시장의 이중화를 가속화하는 결과를 가져온 것이다.

그리고 이러한 노동시장의 이중화는 국제개발협력 및 공적개발원조를 포함한 여러 층위의 정책들에 영향을 미치는 것으로 나타나고 있다. 무엇보다도 국제개발협력과 공적개발원조에 대한 내부자와 외부자의 선호는 명확히 다르다. 최근의 인식조사에 따르면 노동시장에서 지위가 불안정한 비정규직은 국제개발협력과 공적개발원조가 증가할 경우 자신들이 혜택을 받을 수 있는 국가 예산이 감소한다는 점에 민감하게 반응할 뿐만 아니라 자국의 복지지출이 아닌 타국의 문제에 대한 재정지출을 반대하는 경향성을 보이고 있다(김동훈 · 윤준영, 2019). 내부자 편향성을 가지는 좌파정당의 경우, 공적원조원조에 대한 정책은 내부자의 선호를 반영할 것이고 정부당파성이 좌측을 향할수록 공적개발원조 수준이 더 높을 것으로 예상할 수 있다. 그러나 앞에서 언급했듯이 노동시장 이중화가 심화될수록 공적개발원조에 미치는 (좌파)정부당파성의 효과는 감소할 것으로 예상할 수 있다. 왜냐하면 노동시장 이중화의 시대에 좌파정당은 선거에서 내부자와 내부자 중 어떤 집단을 동원할지를 두고 딜레마의 상황에 놓여 있기 때문이다(Lindvall and Rueda 2014). 내부자와 외부자가 서로 다른 정책 선호를 가지고 있기에 내부자에 대한 편향성은 외부자를 동원할 수 없는 상황을 의미하고, 노동시장 이중화가 심할수록 좌파정당은 선거에 승리하기 위해서는 전통적인 조직노동의 정책 선호만을 반영할 수 없게 되었다. 좌파정당은 양적으로 팽창하고 있는 비정규직 노동자로 대표되는 외부자의 선호도 반영해야 할 유인이 커질 것이고, 결국 노동시장 이중화가 심해질수록 공적개발원조에 미치는 좌파정당의 긍정적 효과 또한 감소할 가능성이 높다(김동훈 · 박연수 2016). 이러한 설명은 기존 우파정당에 비해 국제개발협력 및 공적개발원조에 우호적이었던 좌파정당 또한 정치적 지지층의 분열로 인해 기존의 정책을 추구하는 데 많은 제약에 직면하게 되어 어떤 정당이 집권하든 국제개발협력 및 공적개발원조가 축소되고 있는 현실에 대한 설명을 제공한다.

관료제(bureaucracy)와 국제개발협력

국제개발협력을 담당하는 정부부처 및 관료의 특성 또한 국가의 국제개발협력정책 및 공적개발원조의 성격에 영향을 미친다. 공적개발원조를 담당하는 정부기관에 따라 그 목적과 방식의 차이가 존재한다. 가령 외교부가 주도적인 역할을 하는 경우와 산업부가 주도적인 역할을 하는 경우 국제개발협력의 목적이 다를 것으로 직관적으로 예측할 수 있다. 미국의 공적개발원조가 외교정책적 측면이 강한 이유, 그리고 북유럽 국가의 공적개발원조정책이 인도주의적 측면이 강한 이유이기도 하다.

관료(bureaucrat)의 선호는 무엇이 결정할까? 관료들은 일반적으로 자신이 속한 조직의 예산극대화를 통한 영향력 확대, 자신이 속한 조직의 평판, 그리고 개인의 커리어(career)에 대한 고려에 따라 선호(preference)를 결정한다(Wilson 1989). 이러한 측면에서 국제개발협력과 공적개발원조를 담당하는 관료는 국제개발협력정책의 전문성을 위해 수원국의 필요를 파악하고 문제해결을 하고자 할 유인이 크고, 자신의 독립성 강화를 위해 국제개발협력정책에 있어 수원국의 상황을 개선하는 것을 우선할 유인이 있다고 할 수 있다. 더불어 국제개발협력 분야의 전문성을 강화해 정책의 결과가 성공적이라면 그것은 관료의 커리어(career)에 긍정적인 역할을 할 것으로 유추할 수 있다. 이러한 설명은 국제개발협력 및 공적개발원조를 담당하는 정부기관이 독립적인 기관일수록 국제개발협력의 효과성이 높아질 가능성이 시사한다. 경험적으로도 실제 국제개발협력 및 공적개발원조를 담당하는 정부기관의 독립성이 높을수록, 수원국의 필요에 따라 원조를 제공할 확률이 약 25% 이상 증가하는 것으로 나타나고 있다(Arel-Bundock et al. 2015).

국가별로 나타나는 관료의 정책집행 경향성 또한 국제개발협력에 대한 영향이 존재한다. 가령 사회문제를 해결하기 위해 국가의 직접적 개입을 선호하는 국가는 정책의 이행 시 민간기관을 통해 아웃소싱(outsourincg)을 선호하는 국가와 달리 국제개발협력정책의 이행에도 직접적 개입의 경향성이 투사되는 경우가 많다(Dietrich 2016). 이는 국가의 역할에 대한 관료의 인식 차이에서 오는 결과로써, 국제개발협력에 있어 국가의 적극적 역할을 중요시하는 경우 정부 간 국가개발협력의 비중이 높은 경향성이 존재한다. 반면 시장중심적 공여국의 관료들은 비정부기구(NGO)를 통해 공적개발원조를 제공하는 아웃소싱의 비율이 높은 것으로 나타나고 있다. 더불어 아웃소싱을 선호하는 공여국의 경우, 수원국 정책에 대한 영향력은 작지만, 국제개발협력의 효과성을 강조하는 경향이 있다. 반면 정부 간 협력을 선호하는 국가의 국제개발협력은 효과성이 떨어지지만, 수원국에 대한 정치적 영향력은 증가하는 것으로 나타나고 있다(Dietrich 2016). 국가별 관료의 정책집행 방식에 대한 차이가 국제개발협력의 이행 및 효과에 있어 차이가 있음을 시사한다.

시민사회(civil society)와 국제개발협력

비정부기구(NGO)를 통한 사적원조(private aid)는 정부에 의한 공적개발원조보다 혁신적일 수 있으나 단기적 구호(relief)에 치중한다는 점에서 장단점이 있다. 더불어 대다수 국제개발협력사업은 해당 지역 민간 단체와의 협력을 필수적으로 요구한다. 지역 단체들은 지역에 대한 경험 및 지식이 풍부할 뿐만 아니라, 지역의 네트워크를 이용해 개발사업의 효과성을 높일 수 있다. 그런데 문제는 이 과정에서 국제개발협력 사업은 어떤 지역의 NGO와 협력할 것인지의 문제에 항상 직면한다는 점이다.

NGO는 국가 및 기업을 감시하고 평가할 뿐만 아니라 정부의 사업을 위임받아 집행하거나 기부를 통해 자체적인 개발협력 프로젝트를 진행한다. 기업의 사회적 책임성을 감시 및 평가해 소비자에게 정보를 전달하고, 국가사업에 참여함으로써 국제개발협력의 효과성을 높이는 역할을 수행한다. 그러나 일반적으로 NGO 활동은 진입장벽이 매우 낮기에 수많은 NGO가 설립되고 사라지는 것이 현실이다. 이는 NGO의 신뢰성 문제를 발생시킨다. 어떤 NGO를 믿을 수 있는 것인가? 현실에서 일반 시민들이 기부를 실천할 때 어떤 NGO에 기부할 것인가를 고민하는 것과 유사한 문제이고, 정부도 국제개발협력 사업을 진행할 시 직면하는 문제다.

공여국은 수원국에서 국제개발협력 사업을 진행하는 경우, 해당 지역에 대한 정보가 제한적이기에 수원국에서 활동하는 지역 NGO와의 협력이 필요한 경우가 많다. 그러나 문제는 정보의 비대칭성으로 공여국이 개발사업의 협력자로서 지역 NGO를 선택할 시 NGO의 사업추진능력에 대한 제한된 정보로 인해 일반적으로 지역 NGO의 외향적 모습, 가령 웹사이트, 사무실 등을 보고 판단하는 경우가 많이 발생한다. 결과적으로 이러한 현실은 지역 NGO로 하여금 사업능력 및 내용보다는 조직의 크기 및 외향적

모습에 자원을 투입하게 만들어 조직이 관료화되고 궁극적으로 국제개발사업의 효과성을 악화시키는 결과를 가져온다. 더불어 지역 NGO 간의 경쟁으로 이러한 현상들은 더욱 강화되는 경향이 있다. 지역 NGO에 대한 평가가 부재한 현실에서 비효율적인 NGO가 더 많은 정부지원과 민간기부를 받아 국제개발협력 사업에 투입되는 자원의 편향성이 발생하며, 결과적으로 특정 NGO의 독과점 현상이 발생하고 있다. 능력 있고, 정직한 NGO가 정보의 비대칭성 문제로 선택받지 못하는 것에 대한 해법이 필요한 현실이다.

이민(immigration)의 현실과 국제개발협력

최근 대부분의 선진국은 이민(immigration)을 통해 자국의 산업을 유지하고 있으나 문화적 갈등 또한 경험하고 있다. 저개발국가의 국민은 자국의 상황에서 벗어나고자 선진국으로의 이민을 결정할 유인이 있고, 동시에 선진국 또한 저임금 노동자를 유입할 유인이 존재한다. 그러나 선진국의 저숙련 노동자들에게 저개발국가의 저임금 노동자의 유입은 실직의 위협이기에 이로 인한 많은 정치사회적 갈등이 폭발하고 있다. 이러한 상황은 선진국 정부로 하여금 다양한 이민정책을 실행하는 동시에 흥미롭게도 자국으로 유입되는 이민자의 비중이 큰 국가에 대한 국제개발협력 및 공적개발원조를 확대하고 있다(Bermeo and Leblang 2015).

최근 일부 선진국은 이민으로 인한 정치사회적 갈등에 대한 해법으로 이민자들의 출신국에 대한 국제개발협력 및 공적개발원조를 증가하는 경향을 보이고 있는데, 이는 저개발국가에 대한 공적개발원조의 확대를 통해 저개발국가의 상황이 호전된다면 자국으로의 이민이 감소할 것이라는 논리다. 가령 독일은 독일로 이민을 온 국민이 자신의 본국에 기부를 할 경우, 100% 매칭을 하는 정책을 통해 독일로 이민을 가장 많이 오는 국가에 대한 공적개발원조를 대폭 확대하고 있다. 이러한 국제개발협력은 원조를 가장 필요로 하는 국가에 원조를 제공하는 것이 아니라 이민자가 가장 많은 저개발국가의 개발을 통해 이민의 효용을 감소시키고자 하는 것이다. 동시에 이러한 경향성은 특정 국가의 이민자가 증가할수록 그들의 정치력 영향력이 증가함에 따라 강화되는 효과 또한 존재한다. 경험적으로 특정 국가로의 이민자가 10% 증가할 때 그 국가로의 공적개발원조가 약 7% 증가하는 효과가 있는 것으로 나타나고 있다. 그리고 역설적으로 이민에 대한 규제를 강화하고자 하는 정당이 집권할 경우, 공적개발원조가 증가하는 경향도 나타나고 있다(Bermeo and Leblang 2015).

내전(civil war)과 국제개발협력

　　전쟁은 경제성장과 개발(development)의 가장 큰 걸림돌인 것은 틀림없다. 전쟁은 국가의 정치, 경제, 사회적 자본의 붕괴를 의미하고 가난의 악순환을 시작하게 하는 원인이다. 전쟁으로 인해 빈곤해진 국가는 전쟁을 다시 할 가능성이 높고, 현재 가장 빈곤한 나라 대부분은 내전을 경험했거나 내전이 진행 중이라는 사실은 개발(development)의 측면에서 전쟁은 억제되어야 하고, 재발 방지를 위해 노력해야 한다는 점을 시사한다.

공적개발원조를 포함한 국제개발협력은 전쟁, 특히 내전(civil war)과 어떤 관계가 있을까? 빈곤과 같은 경제적 상황이 내전에 영향이 있다는 점에서 공적개발원조는 내전의 억제를 위해 필요한 것으로 생각될 수 있다. 그런데 현실은 좀 더 복잡하다. 경험적으로 공적개발원조는 상대적으로 내전이 없는 곳에 더 많이 제공되고 있으나, 공적개발원조와 내전은 상관관계가 상당히 높다. 즉 원조를 많이 받은 국가가 내전을 경험할 가능성이 높은 것이 현실이다. 공적개발원조가 내전의 가능성을 높이는 이유는 다음과 같이 설명된다. 첫 번째로 내전의 이유가 경제적 자원에 대한 경쟁이기에 원조는 내부적으로 갈등의 씨앗이라는 주장이다. 원조는 수원국 내부에서 갈등적인 집단들이 자기 영향력을 확대할 수 있는 수단이고, 이를 위해서 폭력을 사용할 가능성이 높다는 것이다. 두 번째로 해외원조가 수원국 정부가 아닌 민간으로 직접 제공되는 경우, 수원국의 여러 집단이 원조를 약탈하는 경우다. 특히 수원국 정부가 약한 정부일 경우, 수원국의 여러 경쟁집단이 해외원조를 차지하기 위해 폭력을 행사할 가능성이 있다는 것이다. 세 번째로 내전은 사실 전쟁에 참여하는 모든 집단에 고비용 저효율적 수단이기 때문에 협상에 임할 유인을 제공한다. 그런데 해외원조가 제공되면 원조에 대한 협상이 대부분 실패한다는 것이다. 그 이유는 내전 종결을 위한 협상에 임하는 집단의 입장에서, 해외원조가 누구에게 제공될 것이며, 어떤 식으로 제공될 것인지 등 원조의 불확실성으로 인해 협상이 실패할 가능성이 높다는 것이다(Girod 2012).

　해외원조는 내전을 억제하고 재발을 막을 수 있는가? 해외원조가 수원국의 경제적 상황을 개선해 내전의 비용을 증가시키는 동시에 전쟁의 효용을 감소시킬 가능성은 존재한다. 또한 원조로 인해 수원국 정부의 재정 능력이 향상된다면 반군세력을 포섭하거나 정치적 지지의 확대를 통한 정치적 안정성을 높일 수 있다. 원조를 이용해 정부의 군사력을 강화해 반군을 억압할 수 있는 능력이 향상된다면 정치적 안정성을 확보할 가능성 또한 존재한다. 그러나 문제는 국제개발협력과 공적개발원조가 일관적이지도 않고 지속적이지도 않다는 것이다. 결과적으로 단편적이고 비일관적 해외원조로 인해 내전의 가능성이 높아지는 이유다. 그리고 내전이 종식되기 전에 해외원조가 제공되었을 시 어떤 현상이 일어날 것인지는 직관적으로도 추측할 수 있다. 경험적으로는 내전 중 전쟁 당사자들은 인도적 지원 및 해외원조를 차지하기 위한 경쟁을 하는 것이 일반적인 현상이다. 1990년대 소말리아의 사례에서는 내전 중 제공된 식료품 및 생필품과 같은 인도적 지원의 60% 이상이 약탈당했을 뿐만 아니라 약탈당한 해외원조 물품들은 무기로 교환되는 경우가 일반적이었다. 또한 약탈당한 해외원조는 반군에 대한 정치적 지지를 높이는 수단으로 사용되어 내전이 지속되는 결과를 가져올 수 있다. 더불어 내전이 진행되는 동안 제공된 해외원조는 내전 과정에서 힘의 균형을 바뀌게 하는 효과가 있기에 내전종식을 위한 협상을 불확실하게 하는 측면 또한 있다. 경험적으로는 해외원조로 인한 정부의 군사력 증강을 우려한 반군의 폭력성이 증가하는 현상, 그리고 인도적 지원이 이미 안정적인 지역에서만 효과적인 이유다(Narang 2015).

국제개발협력과 공적개발원조는 내전의 재발을 방지하는 효과가 있는 것인가? 일반적으로 내전이 종료한 이후 재건의 과정에서 많은 해외원조가 제공된다. 해외원조는 평화구축의 과정에서 중요한 역할을 한다. 내전을 경험한 지역의 안정화를 위한 사업들은 내전의 재발방지 효과가 존재하나, 내전종식 이후 인도적 지원이 전쟁에서 패한 지역에게 많이 지원되는 경우 이를 이용한 반군의 재무장 위험 또한 존재한다. 지금까지의 경험적 증거는 지역 주도의 재건 사업은 긍정적인 사회통합 및 화해의 기능이 있고, 공공교육 프로그램은 정치문화 개선에 효과적이기에 내전의 재발을 막는 효과가 있음을 보여주고 있다.

국제개발협력의 현실

저개발국가에 대한 선진국의 국제개발협력 및 공적개발원조는 불행히도 지난 50년간 크게 변하지 않았다. 1970년 국제연합(UN)에서 선진국들은 1975년까지 공적개발원조의 비중을 최소한 자신의 GNP(gross national product)의 0.7%까지 올린다는 결의안을 통과시켰다. 그러나 약 40년이 지난 지금 경제협력개발기구(OECD) 회원국 중 결의안의 약속을 지킨 국가는 고작 7개국밖에 없다.

보건, 의료, 교육 등 기본적인 필요가 부족한 저개발국가의 현실은 국제개발협력과 공적개발원조의 확대로 많은 생명을 구하고, 삶의 질이 개선될 수 있는 가능성을 제시하고 있다. 가령 실제 원

공적개발원조의 변화(% GNI)

국가	1970년	1980년	1990년	2000년	2010년	2020년
Australia	0.62	0.48	0.34	0.27	0.32	0.23
Austria	0.07	0.23	0.11	0.23	0.32	0.30
Belgium	0.46	0.50	0.46	0.36	0.64	0.45
Canada	0.41	0.43	0.44	0.25	0.34	0.26
Denmark	0.37	0.74	0.94	1.06	0.91	0.74
Finland	0.06	0.22	0.65	0.31	0.55	0.42
France	0.52	0.44	0.60	0.30	0.50	0.43
Germany	0.32	0.44	0.42	0.27	0.39	0.67
Greece				0.20	0.17	0.16
Iceland				0.10	0.26	0.28
Ireland		0.16	0.16	0.29	0.52	0.32
Italy	0.15	0.15	0.31	0.13	0.15	0.30
Japan	0.23	0.32	0.31	0.28	0.20	0.23
Korea, Rep.			0.02	0.04	0.12	0.14
Luxembourg		0.11	0.21	0.70	1.05	1.00
Netherlands	0.62	0.97	0.92	0.84	0.81	0.60
New Zealand	0.22	0.33	0.23	0.25	0.26	0.23
Norway	0.33	0.87	1.17	0.76	1.05	0.99
Portugal		0.02	0.24	0.26	0.29	0.18
Switzerland	0.14	0.24	0.30	0.32	0.39	0.45
Sweden	0.35	0.78	0.91	0.80	0.97	1.02
United States	0.32	0.27	0.21	0.10	0.20	0.18
United Kingdom	0.39	0.35	0.27	0.32	0.57	0.70

출처: https://www.worldbank.org

조를 많이 제공받은 저개발국가의 유아사망률이 지속적으로 감소하고 있는 현실은 매우 고무적이다. 그러나 지난 50년간 투입된 자원에 비해 저개발국가의 전반적인 상황이 크게 변하지 않았다는 사실은 반대로 국제개발협력과 공적개발원조에 대한 비관주의에 기여하고 있다. 원조효과에 회의적인 사람들이 주장하듯이 개발 (development)의 조건이 형성되면 원조는 필요가 없고, 개발의 조건이 형성되지 않았을 경우 원조는 도움이 안 되는 상황인 것인가?

현재 진행되고 있는 대부분의 국제개발협력과 공적개발원조의 내용은 다른 함의를 제시하고 있다. 많은 자원이 동원되고 있으나 그 내용을 살펴보면 국제개발협력 및 공적원조원조의 효과가 크지 않음이 놀랍지 않다. 무엇보다 지난 50년간 진행된 공적원조의 내

유아사망률의 변화

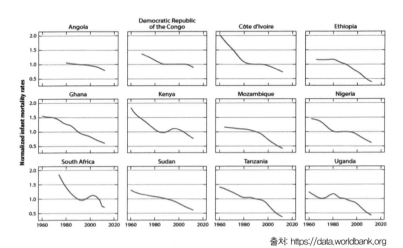

출처: https://data.worldbank.org

개발과 원조의 정치경제

용 중 인도주의적 지원이 차지하는 비중이 매우 낮다는 점은 국제
개발협력 및 공적개발원조의 효과성이 개선될 가능성이 있음을 시
사하고 있다. 현재 경제협력개발기구(OECD) 회원국의 전체 공적개
발원조(ODA)에서 인도주의적 지원이 차지하는 비중은 0.1%가 되
지 않고 있고, 이는 원조의 지출 내용이 실제 빈곤퇴치를 위해 사
용되지 않고 있음을 보여준다. 공적개발원조의 구체적인 지출 내
용을 살펴보면, 가령 시에라리온(Sierra Leone)의 경우, 원조의 많은
부분이 운영비 및 자원개발에 투입되고 있을 뿐만 아니라 대출 및
현금지원이 대부분을 차지하고 있다. 앞에서 살펴본 국제개발협력
의 원인을 고려할 때 이러한 상황은 쉽게 개선될 가능성은 낮지만,
국제개발협력을 통한 빈곤퇴치 및 개발의 가능성은 충분히 있다는
점은 인식되어야 할 것으로 판단된다.

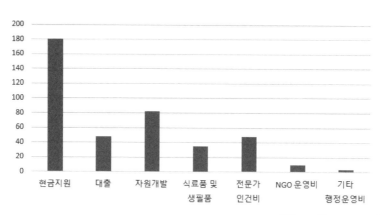

시에라 리온(Sierra Leone)에 대한 공적개발원조의 지출내용(US$ Millions)

출처: https://data.oecd.org/

국제개발협력에 대한 시민들의 인식

국제개발협력과 원조의 확대 및 지속성을 결정하는 가장 중요한 변수는 무엇보다도 선진국 국민들의 관심이다. 그 이유는 국제개발협력과 원조는 글로벌 분배적 정의와 관련된 윤리적 문제인 동시에 국가의 예산이 집행되는 정치적 행위라는 점에서 정책에 대한 정치적 지지가 필수적이기 때문이다. 국제개발협력은 현실적으로 국내 정치적 지지기반이 약하거나 존재하지 않는 정책이다. 누가 정부예산을 타국에 지원하는 정책을 강력하게 지지하겠는가? 국제개발협력정책이 일관적이지 못하고 그 규모 또한 확대되지 못하는 가장 큰 이유다. 이러한 현실은 국제개발협력의 확대와 지속성을 위해 강력한 윤리적, 철학적인 정당성을 필요로 하는 이유이기도 하다. 더불어 규범적 차원에서 국제개발협력에 대한 정당성이 강화된다고 해도 국제개발협력정책은 한정된 국가의 예산이 집행된다는 점에서 그 규모 및 방향성은 국내 정치적 상황에 의해 결정될 수밖에 없다. 가령 저개발의 원인이 작금의 국제질서가 형성되어온 과정의 산물이라는 전제에서 국제개발협력을 '보상(compensation)의 논리로 접근한다면, 얼마나, 언제까지 원조를 해야 하는지를 결정하는 것도 결국 각국 시민들의 인식에 따라 결정될 수밖에 없는 문제이기 때문이다.

최근 한국인의 인식은 어떠한가? 국제개발협력에 대한 한국인은 다음과 같은 특징을 나타내고 있다. 한국인의 경우, 서구 선진

개발과 원조의 정치경제

국의 시민들과 마찬가지로 진보적 이념을 가진 사람일수록 국제개발협력에 우호적이고, 또한 국내 복지정책에 우호적일수록 원조 및 국제개발협력에 우호적인 인식을 하고 있다. 그러나 한국인의 인식조사에서 나타난 흥미로운 특징은 서구 선진국 국민과 다르게 한국에서는 젊을수록 그리고 여성일수록 국제개발협력 및 원조에 대해 부정적인 인식을 하고 있다는 점이다. 이는 최근 한국의 현실을 반영하고 있는 것으로, 한국에서 지속되고 있는 소득양극화 및 청년실업의 문제로 경제적 어려움을 겪고 있는 30대 이하의 젊은 세대가 국제개발협력에 부정적 인식을 나타내고 있는 것으로 판단된다. 더불어 저임금 근로자 중 여성의 비율이 전 세계적으로 상위권인 한국에서 여성이 타국의 빈곤을 위한 예산지출을 반대하는 것 또한 놀랍지 않은 현상이다. 최근 여론조사에서 서구 유럽의 젊은이들이 제일 큰 고민이 '세계평화와 환경오염'이라고 답한 반

국제개발협력에 대한 한국인의 인식

◆ 이념 성향
진보적인 이념을 가진 사람일수록 전반적인 개발협력정책에 대한 태도가 긍정적이다.

◆ 국내 복지정책
국내 복지정책에 우호적일수록 전반적인 개발협력정책에 대한 태도가 긍정적이다.

◆ 연령
연령이 낮을수록 전반적인 개발협력정책에 대한 태도가 부정적이다.

◆ 경제인식
본인의 경제상황 인식이 부정적일수록 전반적인 개발협력정책에 대한 태도가 부정적이다.

◆ 성별
여성일수록 해외빈곤퇴치를 위한 소득 지출과 증세에 부정적이다.

출처: 김동훈 · 윤준영(2019)

면, 한국 젊은 세대의 99%가 취업이라고 답한 우울한 한국의 정치경제적 상황은 한국의 국제개발협력에 우호적이지 않은 현실을 제공하고 있다(김동훈·윤준영 2019).

기적(miracle)과 같은 경제발전을 통해 국제개발협력의 수원국에서 공여국으로 발전한 한국은 국제개발협력의 성공적 사례로서 국제사회에서 독특한 위치를 차지하고 있다(World Bank 1998). 이러한 경험은 한국이 수원국 입장에서 개발에 필요한 것을 더욱더 잘 이해하고, 그 경험과 교훈을 바탕으로 국제개발협력의 중요한 공여국으로 임무를 수행할 것이라는 기대가 국제사회에 형성되었다. 그러나 한국은 국내적 불평등을 완화하고 앞으로 기성세대가 될 젊은 세대의 경제 현실이 개선되지 않은 한 국제개발협력에 대한 정치적 기반은 지속해서 약화될 것으로 판단된다. 국내 불평등 및 양극화의 해소 없이 국제개발협력이 지속 가능하지 않은 것이 현실이다.

◆ 나가는 말 ◆

　21세기의 개발(development)은 과거와 다를 것인가? 몇 가지 측면에서 다름이 나타나고 있다. 첫째는 고령화의 추세다. 지금의 추세가 진행된다면, 현재 OECD 선진국들이 세계 경제에서 차지하는 비중이 2100년에는 약 15% 이하로 떨어질 것으로 예측된다. 한국은 이미 초고령화 사회로 진입했고, 이에 따라 경제 규모는 가파르게 줄어들고 있다. 그런데 문제는 이러한 고령화의 추세가 선진국만의 문제가 아니라는 점이다. 현재의 저개발 및 개발도상국 또한 소득이 증가함과 동시에 고령화가 진행되어 고소득 국가가 되기 전에 고령화 수준이 지금의 고소득 국가(high-income country) 수준에 이를 것으로 보인다. 둘째는 인공지능과 자동화(automation)의 확산으로 대표되는 기술 발전의 성격이다. 과거의 기술 발전은 고숙련 기술자들이 기술을 발견/발명하고 저숙련, 저학력 노동자에 의해 운영이 되었다는 점에서 기술 발전이 대다수의 노동을 대체하기보다는 일자리를 창출해 저숙련, 저학력 노동자들을 중산층으로 만드는 효과가 있었다. 그러나 현재의 기술은 고숙련 기술자에 의해 만들어지고 고숙련 기술자들에 의해 운영됨으로써 저숙련, 저학력 노동자를 대체하는 과정이 진행 중이다. 과거 19세기 영국의 러다이트(the Luddites)의 폭동을 진압하기 위해 영국 정부는 1만 2,000명의 군사를 동원해 진압했고, 이는 영국이 1808년에 나폴레옹(Napoleon)과 대결했던 반도전쟁(the Peninsular War)에 동원된 군사들의 숫자를 넘어서는 것으로, 1차산업혁명에 대한 노동의 저항은 거대했다. 그러나 흥미로운 사실은 지금의 기술 발전에 대한 노동의 저항은 아직 나타나지 않은 것일 수 있으나 19세기와 같은 대규모의 저항은 나타나고 있지 않다는 점이다. 현재 기술 발전의 사회적 결과가 과거와 같이 산업자본과 노동의 갈등으로 표출되기보다는 비정규직으로 대표되는 일부 노동자들의 희생만을 강요하고 있는 것으로 보인다(김동훈 · 김승엽 2024). 이러한 21세기의 현실은 과거와는 다른 개발을 위한 정치, 정책을 요구함을 시사한다. 고령화와 산업 자동화의 현실은 선진국, 개발도상국, 저개발국가는 무엇을 어떻게 해야 하는 것인지에 대한 새로운 접근을 요구하고 있다.

마지막으로 한 가지 더 덧붙이자면, 국내적 불평등과 국제적 불평등의 연계성 및 국제적 기회의 평등에 대한 고민과 실천의 필요성에 대한 강조다. 현재 선진국의 경우, 소득 상위 1%에 해당하는 사람이 소득 상위 10%를 유지할 확률은 계속 상승하고 있다. 1980년대 30%이었던 확률은 현재 60%가 넘어가고 있을 정도로 국내 불평등의 수준은 심각해졌을 뿐만 아니라, 기회의 평등이 사라지고 '기회의 사재기'가 만연하다는 신문 기사와 주변의 이야기는 그리 큰 뉴스가 아닌 현실이 되었다. 한국 사회에서도 지난 20년간 포용적 사회발전, 포용적 경제성장, 포용적 복지 등 포용성(inclusion)에 대한 수많은 논의가 진행되었으나, 개인들은 학교, 기업 및 거주지역 등에 있어 더 분리(segregate)되어 특정 학교, 특정 기업, 특정 지역으로의 진입은 더 어려워진 것이 현실이다. 분리(segregation)에 기반한 기회의 차별이 존재하는 사회가 되었다. 그런데 이러한 국내 불평등의 증가와 더불어 국제적 수준의 불평등, 즉 저개발국가가 저개발의 상태를 유지할 확률과 선진국이 고소득 국가(high-income country)로 유지될 가능성 또한 마찬가지로 계속 상승하고 있다. 또한 국제적 수준의 기회 평등도 사라지고 있다. 현재 전 세계 인구의 소득수준을 가장 잘 설명할 수 있는 변수는 바로 그 사람이 어디에 살고 있는가다. 즉 국적 또는 시민권이 그 사람의 삶의 질을 결정하고 있다. 개인의 소득수준이 시민권에 의해 결정된다면, 지구적(global) 차원에서 기회의 평등은 존재하지 않는 것으로 보인다.

국내 불평등의 증가는 시민들의 국제개발에 관한 관심 및 실천을 약화해 국제적 불평등을 심화시킬 뿐 아니라 외국인 노동자에 대한 차별 및 혐오를 강화하는 배경을 제공하고 있다. 국내 불평등의 심화는 저개발국가에 대한 공적개발원조와 같은 국제개발협력에 대한 정치적 지지를 감소시킬 뿐만 아니라, 개방적 이민 정책에 대한 정치적 지지 감소 및 외국인에 대한 차별 및 혐오를 심화시켜 사회의 다양성과 개방성을 저하하고, 지구적(global) 차원의 기회 평등을 위한 통로 또한 사라지게 하고 있다. 국내 불평등에 대해서는 침묵하지만 연성 권력(soft power)과 국가 브랜드(brand) 제고를 외치며 국제개발협력을 강조하는 비조응성의 현실, 그리고 저개발 국가에 대한 고민과 실천을 외치지만 지구적 차원의 기회의 평등에 대해서는 모순적 태도가 공존하는 현실은 국제개발협력에 대한 우리의 접근을 되돌아봐야 할 필요성을 시사하고 있다는 것을 조심스럽게 강조하며 마무리한다.

참고문헌

국내 문헌

김동훈. 2024. "민주주의 문제해결능력에 대한 한국인의 인식". 『민주주의와 인권』 24(1): 135–162.

김동훈 · 김승엽. 2024. "노동시장 이중화가 산업 자동화에 미치는 영향". 『Oughtopia』 38(3): 5–29.

김동훈 · 박연수. 2016. "노동시장 이중화가 해외원조에 미치는 영향: 비정규직, 좌파정당, 그리고 해외원조". 『한국정당학회보』 15(1): 123–147.

김동훈 · 윤준영. 2019. "개발협력정책의 국내정치적 기반 : 해외원조에 대한 한국인의 선호 결정 요인 연구". 『세계지역연구논총』 37(2): 3–26.

외국 문헌

Acemoglu, Daron, and James A. Robinson. 2012. *Why Nations Fail: The Origins of Power, Prosperitym, and Poverty*. New York: Random House.

Acemoglu, Daron, Suresh Naidu, Pascual Restrepo, and James A. Robinson. 2019. "Democracy Does Cause Growth," *Journal of Political Economy* 127(1): 47-100

Acemoglu, Daron, and Verdier, Thierry. 2000. "The choice between market failures and corruption." *American Economic Review*, 90(1), 194-30.

Achen, Chris. H. and Larry. Bartels. 2016. *Democracy for Realist: Why Elections Do Not Produce Responsive Government*. Princeton: Princeton University Press.

Arel-Bundockm, Vincent, James Atkinson, and Rachel Augustine Potter. 2015. "The Limits of Foreign Aid Diplomacy: How Bureaucratic Design Shapes Aid Distribution." *International Studies Quarterly* 59(3): 544-556.

Bates, Robert H. 1981. *Markets and States in Tropical Africa: The Political Basis of Agricultural Policies*. Los Angeles: UCLA Press.

Beitz, Charles. 1979. *Political Theory and International Relations*. Princeton: Princeton University Press.

Bermeo, Sarah, and David Leblang. 2015. "Migration and Foreign Aid." *International Organization*, 69(3): 627-657.

Boyce, John R. 2000. "Interest Group Competition over Policy Outcomes: Dynamics, Strategic Behavior, and Social Costs." *Public Choice*, 102(3/4): 313-339.

Cohen, Joshua. 1986. "An Epistemic Conception of Democracy." *Ethics*, 97(1): 26-38.

Collier, Paul. 2007. The Bottom Billion: Why the Poorest Countries Are Falling and What Can Be Done About It. Oxford: Oxford University Press.

Dahl, Robert. 1989. *Democracy and Its Critics*, New Haven: Yale University Press.

de Mesquita, Bruce, and Alastair Smith. 2009. "A Political Economy of Aid." *International Organization*, 63(2): 309-340.

Dietrich S. Donor 2016. "Political Economies and the Pursuit of Aid Effectiveness." *International Organization*. 70(1): 65-102

Easterly, William. 2006. *The White Man's Burden: Why the West's Efforts to Aid the Rest Have Done So Much Ill and So Little Good*. New York: The Penguin Press.

Esping-Andersen, Gπsta, 1990. *The Three Worlds of Welfare Capitalism*. Princeton, N.J.: Princeton University Press.

Girod, Desha. M. 2012. "Effective Foreign Aid Following Civil War: The Nonstrategic-Desperation Hypothesis." *American Journal of Political Science*, 56(1): 188-201.

Goodin, Robert. E. and Christian List. 2001. "Epistemic Democracy: Generalizing the Condorcet Jury Theorem." *Journal of Political Philosophy* 9(3): 277-306

Habermas, Jurgen. 1996. *Between Facts and Norms: Contributions to a Discourse Theory of Law and Democracy*, Cambridge: Polity Press.

Iversen, Torben, and David Soskice. 2015. "Democratic Limits to Redistribution:

Inclusionary versus Exclusionary Coalitions in the Knowledge Economy." *World Politics* 67(2): 185-225.

Landemore, Helene. 2013. *Democratic Reason*, Princeton: Princeton University Press.

Lindvall, Johannes, and David Rueda. 2014. "The Insider-Outsider Dilemma." *British Journal of Political Science* 44(2): 460-475.

Marx, Paul. 2014. "Labour market Risks and Political Preferences: The case of Temporary Employment." *European Journal of Political Research* 53: 136-159.

Marx, Paul, and Georg Picot. 2013. "The Party Preferences of atypical workers in Germany." *Journal of European Social Policy* 23(2): 164-178.

McKinsey & Company. 2020. *Diversity Wins: How Inclusion matters*, McKinsey & Company Press.

Morgenthau, Hans. 1962. "A Political Theory of Foreign Aid," *American Political Science Review*, 56(2): 301-309

Mokyr, Joel. 2002. *The Gifts of Athena: Historical Origins of the Knowledge Economy*, Princeton: Princeton University Press.

Mokyr, Joel. 2016. *A Culture of Growth: the Origins of the Modern Economy*, Princeton: Princeton University Press.

Moyo, Dambisa. 2009. *Dead Aid: Why Aid is Not Working and how There is Another Way for Africa*. New York: Allen Lane.

Narang Neil. 2015. "Assisting uncertainty: How humanitarian aid can inadvertently prolong civil war." *International Studies Quarterly*, 59: 184-195

Noel, Alain and Jean-Philippe Therien. 1995. "From domestic to international justice: the welfare state and foreign aid." *International Organization*, 49(3): 523-553

North, Douglass C.,and Robert Thomas. 1973. *The Rise of the Western World: A New Economic History*. Cambridge: Cambridge University Press.

Nooruddin, Irfan. 2010. *Coalition Politics and Economic Development: Credibility and the Strength of Weak Governments*. Cambridge: Cambridge University Press.

Ober, Josiah. 2008. *Democracy and Knowledge: Innovation and Learning in Classical Athens*, Princeton: Princeton University Press.

Olken, Benjamin and Pande, Rohini, 2012, "Corruption in Developing Countries," *Annual Review of Economics*, 4(1): 479-509.

Olson, Mancur. 1965. *The Logic of Collective Action*. Cambridge: Harvard University Press.

Olso, Mancur. 1982. *The Rise and Decline of Nations*. New Heaven: Yale University Press.

Page, Benjamin. and Robert Shapiro. 1992. *The Rational Public. Chicago*, University of Chicago Press.

Page, Scott. E. 2007. *The Difference: How the Power of Diversity Creates Better Group, Firms, Schools, and Societies*, Princeton: Princeton University Press.

Pierson, Paul. 2011. "The New Politics of the Welfare State." *World Politics* 48(2): 143-179.

Pogge, Thomas. 2008. *World Poverty and Human Rights*. Cambridge: Polity.

Rawls, John. 1971. *A Theory of Justice*, Cambridge: Harvard University Press.

Riker, William. H. 1982. *Liberalism against Populism: A Confrontation between the Theory of Democracy and the Theory of Social Choice*, San Francisco: Freeman Press.

Rueda, David. 2007. *Social Democracy Inside Out: Partisanship and Labor Market Policy in Industrialized Democracies*. Oxford: Oxford University Press.

Sachs, Jeffrey, and Andrew M. Warner. 2001. "The curse of natural resources," *European Economic Review*, 45(4-6): 827-838.

Sach, Jeffrey. 2005. *The End of Poverty: Economic Possibilities of Our Time*. New York: Penguin Books.

Schumpeter, Joseph. 1942 *Capitalism, Socialism, and Democracy*, New York: Harper and Brothers.

Schwartzberg, Mellisa. 2015. "Epistemic Democracy and Its Challenges." *Annual Review of Political Science* 18: 187-203.

Singer, Peter. 2004. *One World: The Ethics of Globalization*. New Haven: Yale University Press.

Thérien, Jean-Philippe, and Alain Noel. 2000. "Political Parties and Foreign Aid." *American Political Science Review* 94(1): 151-162.

Wilson, James Q. 1989. *Bureaucracy: What Government Agencies Do and why They Do it*. New York: Basic Books.

World Bank. 2020. *Enhancing Government Effectiveness and Transparency : The Fight Against Corruption*. Washington, D.C. : World Bank Group.

이 저서는 2017년 대한민국 교육부와 한국연구재단의
한국사회과학연구(NRF-2017S1A3A2066657)의 지원을 받아 수행한 연구임.

정치연구총서 **10**

개발과 원조의 정치경제
저개발의 원인과 국제사회의 대응

제1판 1쇄 2024년 2월 28일

지은이   김동훈
펴낸이   장세린
편집   배성분, 박을진
디자인   장세영

펴낸곳   (주)버니온더문
등록   2019년 10월 4일(제2020-000051호)
주소   서울특별시 용산구 청파로93길 47
홈페이지   http://bunnyonthemoon.kr
SNS   https://www.instagram.com/bunny201910/
전화   010-3747-0594   팩스 050-5091-0594
이메일   bunny201910@gmail.com

ISBN   979-11-93671-07-8 (94340)
ISBN   979-11-980477-3-1 (세트)

책값은 뒤표지에 있습니다.
파본은 구입하신 서점에서 교환해드립니다.